LA NEIGE EN DEUIL

LA NEIGE EN DEUIL

BY

HENRI TROYAT

EDITED BY

W. D. HOWARTH M.A.

Professor of Classical French Literature in the University of Bristol

MODERN WORLD LITERATURE SERIES

HARRAP LONDON

First published in Great Britain 1954
by George G. Harrap & Co. Ltd
182–184 High Holborn, London WC1V 7AX
Reprinted: 1956, 1958; 1960; 1964;
1968; 1969; 1970; 1972; 1975; 1976

ISBN 0 245 51022 2

Printed and bound in Great Britain by
REDWOOD BURN LIMITED
Trowbridge & Esher

CONTENTS

Acknowledgments

The editor wishes to express his thanks to the author for his comments on various local words used in the text, and for some general observations on the novel; and to acknowledge help obtained from the Glossary of Mountaineering Terms in Dr P. E. Thompson's edition of *Premier de Cordée*, by R. Frison-Roche (Harrap).

INTRODUCTION

La Neige en Deuil appeared in 1952 as the work of an author who had already achieved considerable success with novels in France, both before the War and since.

Henri Troyat is not French by birth, but became a Frenchman by naturalization in his twenties. He was born in Moscow on November 1, 1911, and lived there until 1920, when, as a result of the Revolution, his family fled the country and took up residence in Paris. Troyat was educated at the Lycée Pasteur at Neuilly, followed this by taking his Licence en droit, and then took up an administrative post in Paris.

This post, as *rédacteur* in the Préfecture de Police, allowed him free time enough to begin his literary career, and his first novel was written in his early twenties. This novel, *Faux Jour* (1935), was followed by *Le Vivier* (1935), *Grandeur Nature* (1936), and *L'Araigne* (1938); two collections of short stories, *La Clef de Voûte* (1937) and *La Fosse commune* (1939), also appeared before the War. The early years of the War saw the publication of a study of Dostoievsky and a novel *Judith Madrier* (both in 1940), another collection of short stories, *Le Jugement de Dieu* (1941), and the novel *Le Mort saisit le Vif* (1942).

Since the War Troyat's activity in the field of the novel has shown as its most considerable result a trilogy of long novels under the general title *Tant que la Terre durera* (1947, 1948, and 1950). He has also continued his career as a biographer with studies of Pushkin (1946) and Lermontov (1952), made his début in the theatre with

Les Vivants (1946) and *Sébastien* (1949), and returned to the shorter type of novel with which he began his career, in *La Tête sur les Épaules* (1951) and the present novel.

Troyat's reputation as a novelist has been consolidated more than once by success in the various literary *concours* : in particular, his novel *L'Araigne* won him the Prix Goncourt of 1938. In short, *La Neige en Deuil* comes from the pen of a practised and very active writer, whose work has already covered a fairly wide range of styles.

As has been said, in his last two novels Troyat has gone back to the kind of novel with which he began his career. In *Tant que la Terre durera* he had made an incursion into a very different type of work, the *roman cyclique*, which has attracted many novelists since the turn of the century, particularly in France, and of which Roger Martin du Gard's *Les Thibault*, Jules Romains's *Les Hommes de bonne Volonté*, Georges Duhamel's *Chronique des Pasquier*, and in England Galsworthy's *Forsyte Saga*, are notable examples. Troyat's theme is the immense upheaval which affected a typical Russian social group over the period stretching from before the 1914–18 war to the years between the wars. The title of the trilogy is supplied by a verse from Genesis, which serves as an epigraph to the whole: " Tant que la terre durera, les semailles et les moissons, le froid et le chaud, l'été et l'hiver, le jour et la nuit ne cesseront point de s'entresuivre." The first of the three volumes covers the period before 1914 when the social structure was virtually intact; the second, *Le Sac et la Cendre*, deals with the War and the revolution; and the third, *Étrangers sur la Terre*, has as its subject the life of the Russian *émigré* society in Paris: the contrast between the older generation who remain exiles and suffer, and the younger generation who by their greater adaptability make a new life for themselves, and so provide the continuity suggested by the epigraph.

Like Troyat's earliest novels, *La Tête sur les Épaules* and *La Neige en Deuil* are very far removed from this pattern. In place of the broad picture of a historical scene with its complex social relationships, the accumulation of incident, and the implication of a universal human lesson to be drawn from the one typical example presented to the reader, we have a simple story, narrated with economy, rigorously excluding everything of merely documentary value in order to concentrate entirely on the single human relationship which forms the subject of the novel—a relationship between individuals, unique and in no way representative types.

In *Faux Jour* the theme had been the development of an adolescent's feelings towards his father, a parasite with a ready tongue and his head full of fanciful schemes for making money—the change from uncritical hero-worship, through angry disillusionment, to tolerant affection. *Le Vivier* is a study of a young man too weak to face up to the realities of life, ignobly exploiting the hospitality of an eccentric old woman who takes a fancy to him, adroitly defeating an attempt to oust him from his position, and finally, when a possibility of escape from his humiliating situation into a future of promise presents itself, lacking the strength to go through with it. In *Grandeur Nature* the relationship is that of a mediocre, unsuccessful actor and his wife: the husband, selfish and self-centred, is content as long as he can monopolize the attention and admiration of his wife, but when (at his suggestion) their child embarks on an acting career and her admiration turns towards the successful son, his growing unhappiness is analysed as he realizes he has lost the one support on which his peace of mind rested. In *L'Araigne* attention is focused on a young intellectual, similarly dependent on the undivided love and attention of his widowed mother and three sisters; he tries in vain to prevent, and then to break up, the marriage of two of his sisters, and when after their mother's death the third is about to marry and leave him, he stages an attempted ' suicide ' in an effort to keep her to himself —but he bungles the fake suicide and the novel ends with his death.

In *La Tête sur les Épaules* Troyat returns to the pattern of these first novels; he deals with the difficulties experienced by Étienne, an adolescent son, in adapting himself to the knowledge that his mother, to whom he is devoted, is about to marry for a second time: a general situation which is particularized by the fact that Étienne's father had been executed as a murderer. The discovery of this fact that had been kept from him, together with his mother's desire to remarry, precipitates a psychological crisis in Étienne. He almost succumbs to the amoral teaching of his schoolmaster, but is rescued by the good sense of his mother's future husband, and brought back to a sense of true values.

La Neige en Deuil in its turn presents similar features: essentially it is a study of the relationship between two individuals; it may be said that no other character counts at all, and that the social—or in this case the topographical—setting of the story is entirely subordinated to an almost dramatic presentation of the conflict between these two characters. And, as in the case of all the novels just referred to (with the possible exception of *Le Vivier*), attention is focused on one of the protagonists. In *Grandeur Nature* Antoine Vautier fills the whole of the novel, and his wife and son are seen through his eyes; in *La Tête sur les Épaules* Étienne similarly occupies the whole of the picture, and his mother and her suitor only interest us in so far as they affect his personality. In *La Neige en Deuil* this is particularly true: Isaïe Vaudagne is present literally throughout the novel;

his brother Marcellin is first introduced in a retrospective 'inner monologue' of Isaïe's, and when he appears in person he still holds no independent interest for the reader, since the novel is a study of the development of Isaïe's feelings towards his brother, and Marcellin's actions only serve to bring about a change in these feelings.

In one respect *La Neige en Deuil* may appear to break new ground. The author himself writes:

> Jusqu'à ce jour, tous mes récits, longs ou courts, avaient eu pour héros des êtres évolués, cultivés, et vivant d'une vie très proche de la mienne. Or, les héros de *La Neige en Deuil* sont des montagnards, nourris de pensées primaires et fortes, façonnés à l'image du pays aride où se déroule leur destin.

But Isaïe Vaudagne is far from being a representative type of *montagnard*: he is a sharply individualized character. His is not merely a peasant's simplicity, it is that of the man whose mental faculties have been impaired by injury, so that although he is in his fifties, he resembles in his second childhood the adolescent heroes of the earlier novels, and as a result the relationship between the simple, trusting Isaïe and his younger brother may be compared to the situation of the son vis-à-vis the father in *Faux Jour*, or the son and the adult characters in *La Tête sur les Épaules*. In all these novels, in fact, Troyat has chosen to study, rather than an *être évolué*, the *évolution* of his hero.

The action of *La Neige en Deuil* has as its setting life in the Alps and mountaineering; but it cannot be called a mountaineering novel. The author is at pains to make his intention clear:

> Qu'on ne s'avise surtout pas de considérer *La Neige en Deuil* comme un roman inspiré par l'alpinisme et destiné à glorifier la technique hasardeuse d'un guide. Mon propos,

> dans cette affaire, n'a pas été d'animer quelques personnages passe-partout pour servir de prétexte à la description d'une 'première hivernale'. Je me suis interdit de sacrifier la psychologie de mes héros au récit de l'ascension qu'ils ont entreprise. Bref, je n'ai pas peint des hommes en fonction de la montagne, mais la montagne en fonction des hommes.

This claim is justified: the description of the *première hivernale* which occupies the second half of the novel is not an excuse for an exhibition of virtuosity on the author's part, in which the human interest is subordinated to the technicalities of climbing; it is a carefully prepared episode in the plot, which has its logical place between the growing discord between the brothers in the first half of the novel, and the violent *dénouement*. And throughout the account of the climb we are never allowed to lose sight of the relationship between two characters each animated with a different purpose: to Marcellin the climb is a means to an end, to Isaïe it is an end in itself. Even for Isaïe, it is not merely a notable climb, it is his first climb since his accident years before; and its importance is above all psychological, in that it restores his self-confidence and enables him to reassert his superiority over Marcellin.

Indeed, it may be said that the narrative of the climb serves a symbolical purpose—the moral relationship between the brothers is matched by a symbolical, dramatically simplified physical relationship. Isaïe is presented in the first half of the novel as a man living in a world of his own: he is happy on the mountains, in the company of animals, and performing simple physical tasks, but with Marcellin and among other men like him, he is hesitant and apprehensive; when he gives in to Marcellin's suggestion that they should attempt a difficult climb for the purpose of looting the wrecked aircraft on the mountain-top, it is not through inability to distinguish between right and wrong so much as through lack of self-confidence and will-power. Out on the mountain Isaïe gains the ascendancy over his brother because he forgets the object of the expedition in the ardour of the climb; but at the top, whereas Marcellin regains his energy, Isaïe is "vidé subitement de tout réflexe et de toute pensée." He is his brother's superior when it is a question of simple moral qualities, and this is matched by his physical strength and endurance; but he cannot stand up to him in the subtleties of argument, and it is only when Marcellin passes from dishonesty to disregard for human life, and the issue suddenly becomes clear-cut and unequivocal, that Isaïe asserts himself again—and again this is reflected in terms of physical action.

The novel is written in a dramatic rather than a realistic convention, and the character of Isaïe Vaudagne is convincing in the same way, one might say, as a dramatic character is convincing. He is larger than life: that is, the author has portrayed him in the simplest possible terms, illustrating only those features of the personality which are of importance to the dramatic conflict that is the theme of the novel. The reader might find it difficult to fit the character into a realistic background from his own experience, but he remains perfectly convincing in the imaginative framework—in the theatre one would call it the dramatic illusion—that the author has created.

To maintain this illusion the author tells his story with a minimum of recourse to the descriptive writing on which a novelist normally depends for the creation of a realistic background for his action. Another feature of this novel that we may properly call dramatic is the large proportion of dialogue: it is a simple direct kind of dialogue, which gives concise and forceful expression to the conflict between the two brothers, so that the action of the novel is carried along at great speed. For the rest, the author makes considerable use of a technique that the theatre cannot use, or can only use sparingly in the form of a soliloquy: the communication of a character's thoughts in passages of continuous monologue. In the first half of the novel this is particularly striking, and Troyat depends on it for two main purposes: the narration of past events and the expression of Isaïe's feelings towards his brother. These are revealed gradually, and in the course of casual reminiscence or reflection. Thus in the paragraph on p. 20, beginning: " Isaïe franchit d'un saut...," in the course of a train of thought developing perfectly naturally and without constraint, we are told for the first time of the existence of Marcellin and learn a certain amount about the relationship between the brothers; or, in the passage beginning on p. 32, the sight of the almanack and the photograph starts Isaïe off on a long reflective soliloquy in which the author has imaginatively combined past and present, and from which we learn the story of Isaïe's accident. It is mainly in this way that the characters are revealed to us; only occasionally is there a touch of objective character-portrayal, and otherwise all is presented to us through the workings of Isaïe's mind.

There are, of course, passages of descriptive writing: the description of the village at the beginning of Chapter II, of the house later in the same chapter, and of the *haute montagne* in the second half of the novel. But it is not the sort of description with abundant detail, that is designed to give a photographic impression of a scene; the author is content to suggest an atmosphere, to establish a vague décor of remoteness and isolation, of darkness and snow, and to leave the rest to the reader's imagination. Thus there is no hint in the novel as to the identity of the village or of the mountain which provide the setting for the action, and the author has preferred not to be tied down to description of a known and recognizable locality.

He himself refers to the story as " une sorte de rêve noir et blanc, hallucinant et vague à la fois," and it is the suggestive, imaginative quality of the writing that is so striking. Examples could be instanced from his earlier novels (the opening pages of *Le Vivier*, for instance) of his impressionistic style, in which words frequently derive a new and sometimes quite startling meaning from their juxtaposition with other words in a particular context. Troyat's use of language in *La Neige en Deuil* is similarly a highly personal one, and the following examples show his bold use of imagery: " Sur un fond de nuit, strié de charpies blanches, Marcellin ! " (p. 39, to describe the appearance of a man with snow on his clothes) ; " Les montagnes, usées, poudrées, lointaines, s'en allaient à la dérive " (p. 47) ; " la lumière se dilua dans un jus grisâtre " (p. 107) ; " Ses yeux fatigués se tendaient de brume " (p. 137). Throughout the novel the reader will come across words used in an unconventional way, and will find that Troyat's is a vivid and stimulating style : a style well suited to the narration of this story in particular, where he is not aiming at documentary realism, but at a more suggestive rendering of something imagined rather than seen.

An asterisk in the text indicates that the phrase or word so marked is explained or commented on in the Notes at the end of the book.

I

Un long bêlement monta de la combe, cachée par un barrage de buissons gelés. Les moutons avaient senti l'homme, à distance. Isaïe Vaudagne se mit à rire, tout seul, et pressa le pas, la tête tendue dans le vent, une coulée de froid sur chaque joue. Ses pieds s'imprimaient dans la neige mince qui couvrait le sol. Il avait hâte de revoir ses bêtes, peu nombreuses, mais solides sur pattes et de bonne toison. Lâchées au printemps sur les pentes de la montagne, elles avaient vécu toute la chaude saison en liberté. Depuis avril, une fois par mois, il grimpait là-haut, en quatre heures de marche raide, pour les observer, les compter et se faire reconnaître d'elles. En son absence, elles changeaient de place, guidées par la saveur de l'herbe et l'exposition des terrains.* Mais toujours il les retrouvait sans peine, groupées autour de la brebis-maîtresse, avec leurs derniers-nés qui s'effarouchaient à l'approche de l'homme.

Maintenant, novembre venu, il s'agissait de les ramener à l'écurie, où elles resteraient parquées pour la durée de l'hiver. Isaïe glissa deux gros doigts sous sa langue et siffla, haut et clair, pour s'annoncer. Une impatience amoureuse précipitait les battements de son cœur. Il allait à un rendez-vous. Ouvrant les fourrés de givre,* il se dressa de toute sa taille au bord du flanquement.* Grand et maigre, osseux, les hanches plates, le torse large, il semblait jailli de la terre dans une convulsion de pierres et de racines. Ses jambes longues étaient enfournées* dans des pantalons de Bonneval,* qui se gonflaient en poches sous les genoux. Une veste en tissu brun, bourru, pendait sur ses épaules. Il portait haut sa tête sèche, aux traits nets, à la peau fendillée comme un morceau de cuir. Sous les sourcils rongés par le soleil, ses yeux bleus et ronds brillaient d'une joie enfantine. Quand il souriait, il n'avait plus d'âge. Il grommela :

— Vous voilà ! Vous voilà, coureuses !

Rien à dire,* la brebis-maîtresse avait raisonnablement choisi son domaine. Dans ce creux abrité, la jeune neige n'avait pas tenu. Eparpillés sur un lit de cailloux et de mousse, les moutons, une quinzaine en tout, paissaient, candides et sereins. L'un, gonflé de nourriture, s'était agenouillé sur ses deux pattes de devant dans une pose de prière. Deux autres ruminaient, front contre front, avec béatitude. Un agneau, frisé ras, rua dans le vide, fit un temps de galop, et se colla contre le flanc de sa mère. Isaïe, gravement, dénombrait sa richesse :

— Quatorze brebis, le bélier communal et trois agneaux, dont un qui a dû naître la semaine dernière.

Il avait parlé à haute voix. Son corps s'inclina en avant. En trois bonds souples, il atteignit le fond de la ravine. Engoncés dans une grosse écume de laine sale, les moutons regardaient venir à eux le maître de la vallée. Un sentiment d'orgueil emplit la poitrine d'Isaïe. Il plongea la main dans sa musette pleine de sel. Mounette, la plus vieille brebis, le salua d'un bêlement affectueux.

— Tu es heureuse de me voir, murmura Isaïe. Tu te disais : s'il ne vient pas à temps, celui-là...

Mounette lui léchait les doigts d'une langue chaude, râpeuse. D'autres s'approchaient, attirées à leur tour par la promesse du sel. Bientôt, il fut entouré d'un petit nuage de bourre, qui lui venait à mi-cuisse. Un fin grésil chargeait, par endroits, la toison des bêtes. Des brins d'herbe, des épines gelées, des insectes morts, étaient prisonniers de leur laine. Isaïe respira gaiement la senteur âcre de son troupeau. Un agneau tétait sa mère, sans qu'elle y prît garde. Puis, il lâcha la mamelle. Un fil de lait descendait de sa lèvre. Le dernier-né se tenait à l'écart, mal planté sur ses pattes grêles, les oreilles basses, le museau mouillé d'émotion.

— Toi, je te porterai, dit Isaïe. Tu n'aurais pas la force de suivre...

Il se fraya un passage jusqu'à l'agnelet solitaire:

— Viens ici, viens donc!...

L'agnelet fit trois sauts de côté, courut en rond, secoua la tête. Un genou à terre, Isaïe tendait vers lui sa large main ouverte:

— Viens, bêta.* C'est de l'amitié.

L'autre, méfiant, hésitait encore. Alors, Isaïe feignit de se détourner. Aussitôt, l'agnelet s'approcha de lui et flaira timidement ses chaussures. D'un geste prompt, Isaïe le saisit à plein corps et le pressa contre sa poitrine. Une petite masse nerveuse et chaude palpitait entre ses bras, se débattait, se déhanchait, bêlait à fendre l'âme. Isaïe riait et caressait de la main gauche le ventre de soie, le cou fragile et vibrant, où passait la voix de la peur. Puis, de la main droite, il attira le sac qui pendait sur son épaule et l'ouvrit pour y déposer son fardeau. Tenu dans la prison de toile, l'agnelet protestait encore à brefs coups de sabots. Une brebis se détacha du groupe.

— C'est toi, la mère? demanda Isaïe. Ne crains rien. Il est là...

Et il lui donna le petit à sentir, pour la rassurer. Elle mâchait un restant d'herbe. De sa bouche active se dégageait une douce vapeur. Le soleil luisait, rouge et lointain, dans un ciel brouillé de brumes. Les récentes chutes de neige avaient modifié l'aspect des plus hautes aiguilles. Des linges blancs, déchiquetés, s'accrochaient aux parois rocheuses. Une farine épaisse tapissait les éboulis dans les couloirs d'avalanches. Les premiers mélèzes étaient poudrés d'argent fin. C'était plus bas seulement, à l'étage des hommes, que la couleur des terres n'avait pas changé. Isaïe chargea le sac sur son épaule et dit :

— En route.

L'air était pur et froid. Toutes les montagnes, rangées en demi-cercle, assistaient au départ du troupeau. Isaïe marchait devant. Les bêtes le suivaient de près, serrées flanc à flanc, en balançant leur dos laineux et leur chanfrein busqué.* Le bélier était parmi elles, avec ses cornes tordues et son odeur. Il avait posé son menton sur la croupe d'une brebis et se laissait porter, songeur, inutile, par le courant. De temps en temps, Isaïe se retournait pour voir son monde. Quand on abordait une plaque de neige, les moutons paraissaient tout à coup plus sales. Ils trottaient en bêlant, happaient, çà et là, une brindille craquante. Après leur passage, l'étendue blanche était souillée par une longue traînée fangeuse, où des bouquets d'herbe rare frissonnaient au vent.

Isaïe franchit d'un saut un petit torrent coléreux. Et toutes les brebis sautèrent le torrent derrière lui. Il sentait, contre son dos, le poids et la tiédeur de l'agneau nouveau-né. L'agneau ne bougeait pas. Il avait pris confiance. Une fois de plus, Isaïe regretta que son frère eût refusé de l'accompagner dans la montagne. C'était une grande journée, et Marcellin ne le comprenait pas. Il avait préféré descendre en ville. Pourquoi faire? Impossible de le savoir, avec lui! Peut-être espérait-il trouver un travail à sa convenance?* Ce n'était guère facile pour eux dans la région. Pas à cause d'Isaïe, qui était robuste, docile et faisait double ouvrage. Mais à cause de Marcellin, toujours à fuir* devant l'effort, à se quereller, à se plaindre et à demander plus que son dû.

Il avait mauvais caractère. Cela se savait. La semaine dernière, le patron de la scierie l'avait renvoyé. Isaïe, lui, aurait pu rester dans la place. Mais, loin de son frère, il n'eût pas connu de plaisir à la besogne et au profit. Sa vie n'avait de sens que dirigée et approuvée par Marcellin. Au moment de l'embauche, ils avaient coutume de dire: « Nous, c'est tous les deux,* ou personne ! »

— Il est malin. Il s'arrangera pour nous faire engager. A la carrière. Ou chez le marchand de bois. Sûrement, il avait son idée en partant. J'aurais dû l'interroger davantage. Il m'aurait expliqué.* Non, il ne m'aurait pas expliqué. Il ne m'explique jamais rien...

Quand il était seul avec ses moutons, Isaïe avait l'impression de pouvoir réfléchir à toutes choses avec une grande lucidité. Mais devant Marcellin, qui parlait fort et vite, il perdait le contrôle de ses pensées. Les mots se heurtaient dans sa tête. Il répétait: « Oui, oui », sans comprendre. Avant son accident, il n'était pas ainsi. Au village, certaines personnes, il le savait, le considéraient comme un simple. Il fronça les sourcils. Des idées passaient dans son crâne* avec une lenteur de nuages: « Les moutons... la maison... Marcellin... Marcellin qui a perdu sa place à la scierie... Marcellin qui est soucieux, qui se fâche, qui chamaille, qui crie... » Par suite de la différence d'âge qui existait entre eux, — il avait cinquante-deux ans et Marcellin n'en comptait que trente — Isaïe éprouvait, à l'égard de son frère, des sentiments de tendresse discrète, d'adoration craintive, que rien ne pouvait rebuter. Leur père à tous deux, Vaudagne le Dru, vieux guide aux favoris vaporeux, était mort en montagne, foudroyé sur la roche avec son client, peu de temps avant la naissance de Marcellin. Quand la mère avait eu les premières douleurs, la route du village était déjà coupée par la neige. La sage-femme était occupée ailleurs. C'était Isaïe, à peine rentré du service militaire, qui avait mis son frère au monde, avec ses mains. Lorsque la sage-femme avait cogné à la porte, la chambre était propre, la mère et l'enfant reposaient côte à côte, la lampe à pétrole ne fumait pas. Deux ans plus tard, de fièvre en fièvre, la veuve de Vaudagne le Dru s'éteignait à son tour, vidée, la joue sèche, des paroles de folie à la bouche.

Reçu guide, comme son père, Isaïe avait élevé l'enfant, sans l'aide de personne, à sa façon. Marcellin allait à l'école, mais n'avait pas le goût de l'étude et de l'obéissance. Malgré les remontrances et les menaces, il apprenait ce qui lui plaisait, manquait le catéchisme et s'échappait de la messe, le dimanche, pour courir les bois, avec des galopins de son âge, friands de tours et de rapines. En grandissant, il était devenu on ne savait trop quoi* : un de ces garnements de la montagne, ni ouvrier ni paysan, qui ne prient pas et ne sèment pas, bûcherons à leurs heures, passeurs de frontière* peut-être, braconniers à coup sûr ! Pour le soumettre à une discipline honnête, Isaïe avait fini par le prendre comme porteur* dans ses courses avec les clients. Cette activité régulière avait quelque peu assagi le tempérament sauvage de Marcellin. C'était après l'accident que la vie, pour eux, s'était gâtée.

L'agnelet bêla dans la poche de toile. La brebis-mère devança ses compagnes et vint flairer son rejeton. Elle tendait le cou, frétillait de la queue, et, dans l'iris oblique de ses prunelles, brillait une goutte de lumière humble et intelligente. Isaïe s'arrêta, ouvrit le sac, prit l'agnelet dans ses bras :

— Comme ça, tu le vois mieux. Tu peux te rendre compte...

La brebis baissa la tête, en signe de remerciement, et se laissa rejoindre par le grouillement laineux du troupeau.

Ils pénétrèrent dans un sous-bois, à la terre boueuse, semée d'aiguilles rousses, avec, par place, des bosses de neige piquées de chicots noirs. Le sentier descendait rudement entre les troncs sévères. Les plus hautes branches des mélèzes retenaient encore un peu de blancheur. Au-dessus, le ciel se chargeait de nuées.

Isaïe tenait toujours l'agnelet dans ses bras, comme un enfant frileux :

— Ce soir, Marcellin sera de retour. Et, quand il verra toutes les bêtes à l'écurie, il me fera un compliment. Il dira : « Isaïe... Isaïe... »

Le front levé, Isaïe essaya d'imaginer ce que lui dirait son frère. Mais, de nouveau, les idées fuyaient son cerveau. Il répétait à mi-voix : « Isaïe... Isaïe... » Et un large sourire ouvrait ses lèvres.

II

Le soleil se couchait derrière la montagne, quand Isaïe atteignit les premiers champs de culture, bordés de murets * en pierres blanches. Au bout de la route était le village, bâti en pente, dont les maisons s'enfonçaient de tout leur poids dans le sol, comme par crainte de glisser plus bas. Des toits de lauzes * superposées descendaient en visière sur les minuscules fenêtres sans vie. Les hautes cheminées de bois, en forme de pyramides tronquées, fumaient tranquillement dans le soir. Ce lieu était le point extrême où des hommes avaient osé planter un gîte et semer le grain. Mais, sur la glèbe revêche, bourrée de cailloux, le seigle même venait mal. Les vieux mouraient sans avoir rien mis de côté, et les jeunes, l'un après l'autre, fuyaient ce coin de mauvaise terre que les chutes de neige isolaient du monde pendant six mois de l'année. Jadis prospère et peuplé jusqu'aux bords, le village ne comptait plus que dix-huit feux à peine. Et, au-dessus de lui, il n'y avait que des refuges * perdus dans la montagne pour les grimpeurs de l'été.

A mesure qu'elles approchaient des demeures, les brebis bêlaient avec plus d'insistance, heureuses de reconnaître le pays de leur hivernage. Isaïe était content qu'elles fissent tant de bruit, car il voulait attirer du monde sur le passage de ses bêtes. Le chemin s'étranglait entre deux rangées de façades. Rouby-le-vieux, employé de nuit à l'usine électrique de la vallée, était sur le pas de sa porte, une petite hache à la main. Il fendait des bûchettes sur un billot. Voyant venir Isaïe, il branla sa tête de viande grise, aux oreilles moussues, cracha et dit :

— Le compte y est ? *

— Oui, répondit Isaïe. Avec, en plus, trois agneaux bien vifs...

Il désignait du regard celui qu'il tenait dans ses bras. Rouby abattit sa hache sur une bûche. L'agneau tressaillit, ferma les yeux. Isaïe dit :

— Marcellin sera content.

— Sûr qu'il sera content, dit Rouby. Quand revient-il ?

— Ce soir.

— Il aurait pu attendre que tu aies rentré tes moutons pour aller en ville !

— C'était important.

— Du travail ? demanda Rouby.

— Sans doute, répondit Isaïe. Du travail.

Il n'osait pas dire que Marcellin ne le mettait jamais au courant de ses affaires. Le troupeau piétinait.

— Tu me laisses le bélier ? reprit Rouby. Je le garde peu de temps, et je le rends à Belacchi après. De toute façon, c'est mon tour...

— Tu as une corde pour le tenir ?

— J'ai une corde. Approche-le voir...

Rouby sortit une cordelette de sa poche, la noua et passa la boucle sur le cou du bélier. Isaïe se remit en marche. Le bélier bêlait, tirait sur son licol vers toutes les femelles qui s'en allaient, ingrates, en balançant leur croupe, sans le regarder.

— Vite, vite, mignonnes ! disait Isaïe. Ne pensez pas au cornu. Il est mieux chez Rouby que chez nous, pour l'heure...

Plus loin, ce fut Marie Lavalloud, une amie d'enfance, qui l'interpella :

— Te voilà redescendu, donc ! Et toute la famille avec !...

Elle avait un visage aux rides aimables, un dos rond et des mains gonflées de veines, qui pendaient sur sa jupe comme des outils.

Il s'arrêta devant elle, pour lui permettre de mieux admirer ses moutons.

— Moins on les soigne, mieux ils se portent, dit-elle.

Il rit :

— Oui, oui, c'est comme ça !

Il avait l'impression que le village entier lui enviait ses brebis, si belles et si sages.

— Tu me donneras la laine à filer, reprit Marie Lavalloud. On partagera le fil. Moitié moitié. Comme l'année dernière.

— Comme l'année dernière.

— Et n'oublie pas ce que tu m'as dit pour mon fenil. La neige s'annonce et il est ouvert de partout. Tu viendras le réparer demain ?

— C'est promis, comme juré. Adieu, Marie.

Un sourire d'enfant glissa, tel un souvenir du passé, sur cette figure éteinte.

Isaïe toucha d'un doigt le bord de son chapeau, qui avait la forme d'un champignon. Les moutons le poussaient aux mollets par petites secousses têtues. Il fit quelques pas encore. Devant le café de Joseph, un groupe d'hommes lui barra la route : le père Joseph lui-même, le maire Belacchi, le gendarme Coloz, et Bardu, le braconnier attitré de la commune. Tous regardaient du côté de la montagne. En entendant venir le troupeau, ils se tournèrent vers Isaïe.

— Tiens, voilà Isaïe ! cria Coloz. Tu les ramènes ? On ne t'en a pas volé ?

— Pourquoi m'en volerait-on ? dit Isaïe. Je n'en vole à personne, moi.

— Oh ! mais toi tu es un gars à part !

Il y eut des rires. Isaïe se troubla. Etait-ce un compliment ou se moquait-on de lui? Incapable d'en décider, il se balançait d'une jambe sur l'autre, les bras mous, le front penché. Enfin, il murmura :

— Ils sont vaillants, mes moutons. Pas un ne boite. Et on a marché trois heures sans souffler.

Personne ne lui répondit. On ne s'occupait plus de lui. De nouveau, tous regardaient du côté de la montagne.

— Qu'est-ce que vous regardez ? demanda Isaïe.

— Un avion est tombé là-haut, la nuit dernière, dit Coloz. Ils l'ont annoncé à la radio de Joseph. Alors, on essaye de voir. Mais ce doit être de l'autre côté.

— Un avion? dit Isaïe. D'où venait-il ?

Le gendarme prit un air officiel. Sa moustache se raidit comme une petite brosse. Son œil devint fixe. Il dit avec importance :

— L'avion venait des Indes.

Isaïe cligna des paupières, regarda à son tour.

— Tu te rends compte ? dit Joseph. Partir des Indes et venir s'écraser chez nous ! Quelle histoire !

Les brebis bêlaient. Isaïe se fatiguait les yeux à observer la pente de neige, éblouissante et lisse.

— Rien, dit-il. C'est tout propre jusqu'au sommet.

— Misère ! * soupira Bardu. Moi, les avions, je me suis toujours méfié ! *... Parle-moi d'une bonne paire de chaussures ! On va moins vite, mais on arrive plus sûrement. Quel temps fera-t-il demain, Isaïe ?

Isaïe était fier que Bardu lui demandât son avis sur le temps. Pour les vieux, il était encore quelqu'un, au village. Ceux-là n'avaient pas oublié.

— Le vent tourne, dit-il. Cette nuit, il neigera pour un peu.

— Et Marcellin ? Tu l'as laissé à la maison ?

— Non. Il est en ville. Il... il cherche du travail.

— Tu n'as pas peur que ça le fatigue? dit le maire.

De nouveau, le groupe fut secoué par un accès de rire. Isaïe rit avec les autres. Mais il ne savait pas au juste pourquoi il riait ainsi.

— Voilà, dit-il, les moutons s'impatientent. Adieu, tous.

Il fit un salut, clappa de la langue et reprit sa route avec toutes les brebis derrière lui. Sa maison était en dehors du village, à huit cents mètres, dans le hameau dit des Vieux Garçons. Ce hameau — quatre masures en tout — personne n'y vivait plus, hormis lui et son frère. Les trois autres foyers* s'étaient éteints, faute de femmes. Cela s'était trouvé ainsi. Pas de mariages. Pas d'enfants. Les hommes restaient célibataires, vieillissaient, partaient, ou périssaient sur place, et leurs demeures devenaient des cavernes froides. Faîtages défoncés, portes et fenêtres béantes, elles se laissaient emplir de mille débris sombres apportés par les vents, dilués par les pluies. Une végétation rousse poussait sur les seuils brisés. A côté de ces vieilles carcasses, le logis d'Isaïe Vaudagne offrait encore un air de fermeté et d'agrément. Le rez-de-chaussée, en pierres brutes liées à la chaux, était surmonté d'une grange construite en poutres de mélèze. Des blocs de schiste chargeaient le large toit pentu* et coiffant,* fait d'ancelles* de bois gris, grossièrement agencées. La cheminée haussait dans le ciel sa bourne* robuste, gainée de lattes. Sous l'auvent, à droite de la porte, les bûchettes, empilées avec soin, composaient un rempart de tendre matière blonde. Le grenier, une cabane carrée, en madriers noircis par le temps, avait été bâti loin de la maison, à cause des risques d'incendie. Quatre supports, de forme conique, l'isolaient du sol, afin de le protéger contre l'intrusion des rats et des mulots. A l'intérieur s'entassaient les provisions de viande séchée, d'avoine et de seigle, les vieux vêtements des morts, les vêtements neufs des vivants et tout un assortiment de reliques irremplaçables. Un peu plus haut, face à la montagne, s'élevait une muraille de rocs superposés, qui servait de pare-avalanche. Le péril venait toujours de ce côté-là. Par habitude, avant de rentrer chez lui, Isaïe jeta un regard sur les pics de granit qui repoussaient le ciel. La clarté du soleil avait quitté les basses terres pour se réfugier, rouge et brillante, au sommet des rochers. Une longue nuée, couleur de feu vif, flottait encore sur le dôme de neige. Au-dessous, des coins d'ombre s'enfonçaient dans les balafres de la pierre. Les veines brillantes des cascades se changeaient en chevelures grises. Le glacier, hérissé de couperets* d'argent, s'éteignait, s'émoussait, consentait à n'être qu'une tache pâle et plate. Et, à la base de l'édifice, les forêts se gorgeaient de nuit, les alpages se décomposaient, les lourds cailloux, enlisés dans l'herbe, affectaient un aspect de crânes ronds et pensifs. Isaïe hocha la tête:

— C'est tout mauvais, là-haut... Le ciel se pourrit...

Il ouvrit la porte. Les brebis entrèrent en se bousculant dans l'écurie. Isaïe leur avait préparé une litière de débris de sapin et de feuilles de bouleau séchées. Le râtelier était bourré de foin. L'eau du baquet avait été renouvelée à l'aube. Une demi-obscurité, odorante et tiède, accueillait les voyageuses, dont les pattes tremblaient de fatigue. Les deux chèvres, parquées au fond du réduit, protestèrent d'une voix grelottante contre la horde qui, après six mois d'absence, envahissait de nouveau leur domaine. Les agneaux, nés dans la montagne et ignorant les usages de la vie sédentaire, se cognaient aux murs, bêlaient de peur et cherchaient le flanc de leurs mères.

— Paix, paix! criait Isaïe en riant. Il y aura de la place pour tout le monde!

Le plus pressé était de traire les chèvres. Elles avaient des mamelles lourdes. Isaïe approcha la seille, tira le lait, qui giclait, blanc et mousseux, entre ses gros doigts. Puis, il poussa le portillon de planches disjointes qui séparait l'écurie de la cuisine et posa le récipient plein sur la table. La grande pièce prenait jour sur le monde par une petite fenêtre carrée à croisillons de bois et par la cheminée, qui était un trou profond, ouvert à même le toit* et à demi masqué par un auvent mobile. Tout l'intérieur de cet orifice, évasé vers le bas, était noir de suie. Une plaque de fonte, montée sur un socle en pierre creuse, constituait le foyer. Au-dessus, des linges séchaient sur un « éparvis »* aux branches écartées. Quelques brins de paille passaient entre les poutres du plafond. Par la trappe de la cave, venaient des odeurs de champignons et de lait aigre. Isaïe but un verre de lait, alluma le feu et chauffa un restant de soupe blanche dans une casserole. Le vent rabattait la fumée dans la salle. Toussant et grognant, Isaïe manœuvra la tringle verticale, qui commandait l'orientation du panneau de cheminée. Une poussière noire se détacha de la planche et tomba en pluie fine sur le fourneau. Mais, peu à peu, le tirage s'établissait, l'air devenait respirable. Satisfait, Isaïe se mit à table et mangea la soupe. Il laissait couler le liquide chaud dans sa gorge et ne pensait à rien. Ses yeux vagues regardaient tour à tour la pendule qui ne sonnait plus, dans sa boîte haute, gravée de fleurettes, le buffet bancal, chargé de vaisselle ébréchée, le calendrier des P.T.T., pendu au mur, entre deux piolets, et, près de la porte, l'étagère qui supportait des almanachs, de vieux journaux, un encrier et le dictionnaire de Marcellin. L'ombre effaçait progressivement le contour de ces objets aux vertus apaisantes. Quand la pièce fut tout à fait obscure, Isaïe se leva et alluma une lampe à pétrole.* L'électricité avait été amenée au village, mais la municipalité n'avait pas jugé utile de faire continuer la ligne jusqu'au hameau des Vieux Garçons, qui ne comptait plus que deux habitants. La petite flamme fumait dans son manchon* de verre. Un souffle froid passait sous la porte. Le vent se fendait en sifflant sur l'angle de la maison. Isaïe, rêveur, mangea encore un bout de fromage, se cura les dents avec la pointe de son couteau et empoigna la seille de lait par les anses, pour la descendre à la cave. Demain, il transvaserait le lait dans un chaudron de cuivre. Puis, il cuirait le fromage. D'autres travaux l'attendaient dans les jours à venir: scier le bois, tailler des ancelles de rechange,* saigner et saler un mouton, tresser une hotte neuve... Quand il remonta de la cave, la lueur de la lampe avait pâli, la mèche flasque pompait les dernières gouttes de pétrole. « Et maintenant, que vais-je faire? » se demanda Isaïe. Devait-il se coucher ou attendre son frère? Marcellin n'avait pas donné l'heure de son retour. En partant, le matin, il avait simplement dit: « A ce soir. » Pour peu que des amis l'eussent retenu à dîner,* il rentrerait tard dans la nuit. Deux heures de trajet à pied. Le chemin montait dur. Si sa visite en ville n'avait servi à rien, Marcellin serait de méchante humeur. Dans des cas pareils, il valait toujours mieux le laisser seul. Sa colère se détendait dans le vide. Et, pourtant, Isaïe ne pouvait se résoudre à manquer l'arrivée de son frère dans la maison. Il avait hâte de revoir Marcellin pour lui montrer les moutons et l'interroger sur le résultat de ses démarches. « A supposer qu'il soit contrarié, il ne me répondra pas. Mais, s'il apporte une bonne nouvelle, il sera heureux de me trouver debout et prêt à l'entendre. Nous parlerons, comme deux amis, les coudes sur la table. Qu'il ait déjà mangé ou non, je lui ferai avaler une assiette de soupe. Un verre de vin blanc par-dessus.* Pour fêter le retour. Avant de nous mettre au lit, nous irons regarder les bêtes... »

Enchanté par la promesse de ces retrouvailles,* Isaïe ne songeait plus qu'à organiser sa veillée. Pour se distraire, il prit sur l'étagère l'almanach de l'année, une plume et un encrier. Depuis plusieurs générations, il était d'usage, chez les Vaudagne, de consigner dans un almanach les événements remarquables de leur existence. Assis sur un banc, devant la table, Isaïe feuilletait la brochure, ornée d'illustrations pieuses en trois couleurs. Puis, s'étant arrêté à la date du jour, il traça les mots suivants d'une grosse écriture carrée : « Les moutons sont rentrés. Un avion est tombé. » Il hésita un peu et souligna les deux phrases d'un trait noir. Le papier grinça, écorché. Isaïe, les yeux à demi clos, contemplait son œuvre. L'encre brillante séchait lentement. Il tourna la page. Remontant le cours de l'année, il cherchait d'autres souvenirs. Cette occupation lui était douce, parce que, grâce à elle, il avait le sentiment que les heures les plus tristes, les plus gaies, les plus graves de son passé n'étaient pas tout à fait perdues. Il lisait : « 29 octobre. Descente du bois. » Et, devant ses yeux, les troncs de mélèze, dénudés, ébranchés, gluants de résine, glissaient à une allure vertigineuse dans les couloirs, bondissaient en craquant sur les obstacles rocheux et s'affalaient, pêle-mêle, au bas de la pente, dans un nuage d'écorce rouge pulvérisée. Ou bien encore : « 17 mars. Avalanche. Les derniers culots* se sont arrêtés à la tourne.* Comme Dieu a voulu. » Et, aussitôt, il se rappelait cette nuit de printemps, avec son tonnerre de pierres entrechoquées et son relent de soufre qui pénétrait jusque dans la maison. Il y avait aussi l'histoire de la chèvre morte, les mamelles pourries, le lait jaune de pus, et celle du pèlerinage organisé par monsieur le curé au nouvel oratoire, et celle du coq de bruyère abattu par Marcellin d'un coup de fusil.

Isaïe était surpris d'avoir vécu tant de faits mémorables. Une bonne chaleur grouillait* dans son ventre. Il mouillait son doigt pour tourner les pages. Les dates se succédaient à rebours : « 15 mars... 3 février... » Enfin, le début de l'année : « 1er janvier. Marcellin m'a fait compliment pour la potée.* » Il sourit de plaisir, se leva et remit l'almanach à sa place, sur la planchette. Un moment, il éprouva la tentation de consulter les almanachs des années précédentes. Sa main caressait le tas de feuillets poussiéreux, aux couvertures cornées. Mais il savait qu'il ne devait pas les ouvrir, s'il voulait se garder calme pour la nuit. Tout le mal dormait là-dedans. Pourquoi Marcellin ne revenait-il pas ? Quand son frère était dans la maison, Isaïe n'avait que des idées habituelles, inoffensives. Seul, en revanche, il ne pouvait s'empêcher de retourner, par la pensée, à l'époque de son malheur. Le vent hurlait d'une voix aigre et les poutres du toit grinçaient. Il y avait dans l'air un événement pas naturel. Une présence, un ordre. Isaïe avança la main. Non pour saisir un autre almanach. Cela, il n'osait pas le faire. Pour prendre, simplement, derrière les livres, une photographie jaune et craquelée : un groupe de guides, et lui parmi eux. Tous assis sur une banquette. De rudes visages souriants. Les mains sur les genoux, la pipe au bec,* l'œil fixe. A leurs pieds, des sacs, des cordes, et une inscription : 1938. Il pouvait citer tous les noms : Nicolas Servoz, Paul Blandot, le petit Vernier... Il s'arrêta. Son cœur devenait mou.

— Voilà, voilà... je savais bien qu'il ne fallait pas... A quoi ça sert ?...

Il glissa la photographie derrière les almanachs. Mais son esprit continuait à travailler sur l'image. Avait-il été vraiment cet homme, dont le photographe avait saisi au vol l'expression heureuse et déterminée? L'un des guides les plus sûrs de la région. Six « premières »* à son actif. Ses clients, tous des messieurs et des dames de qualité, avaient inscrit dans son livret le témoignage de leur satisfaction. Quand il traversait le village pour se rendre en ville, au bureau de la compagnie,* les gens le saluaient avec estime. Les jeunes écoutaient ses conseils. Les vieux recherchaient son amitié. Marcellin, qui lui servait de porteur, ne se permettait pas d'élever la voix pour le contredire. Et, soudain, tout avait lâché, comme si les liens qui unissaient son âme à son corps se fussent cassés net. Il n'avait pas besoin d'ouvrir l'almanach de la mauvaise année pour voir la page marquée d'une croix noire. Ce soir-là, il n'avait rien osé écrire. A peine s'il avait eu la force de tracer le signe de deuil: un client tué par la rupture du bec rocheux qui soutenait la corde de rappel.* Il balança la tête pour se détacher de cette vision affreuse. Des paroles, cent fois répétées, montaient à ses lèvres:

— Ce n'était pas ma faute. Tous l'ont dit, après. Le point d'appui était connu comme solide...

Quinze jours plus tard, une caravane de trois personnes, conduite par lui, avec Marcellin comme porteur, avait été prise sous une coulée de neige.* Aspergé de poudre glacée, Isaïe avait hurlé l'ordre à tous de se plaquer contre la paroi. Trop tard. Là-haut, dans une sorte de soupir paresseux, une lourde masse scintillante basculait dans le vide et cachait le ciel. Soufflée par l'avalanche, toute la cordée avait roulé sur la pente qui menait au glacier et s'était arrêtée, ensevelie, au bord des premières crevasses. Marcellin et Isaïe avaient pu se dégager sans trop de peine et s'étaient mis, aussitôt, à creuser l'épaisse nappe blanche qui emprisonnait les clients. L'un d'eux, légèrement recouvert, était indemne. Les deux autres, écrasés sous quatre mètres de neige compacte, avaient péri étouffés. Isaïe se rappelait sa rage devant les corps inanimés : le rhum versé dans les bouches crispées, les mouvements de respiration artificielle, les gifles appliquées en cadence sur les joues molles et froides. Le rescapé, un jeune Anglais au visage poupin, riait nerveusement et agitait ses mains telles des marionnettes. Il semblait à Isaïe que, ces éclats de rire, il les entendait encore, derrière la porte, mêlés à la plainte du vent.

— Taisez-vous !

Il avait crié cela comme autrefois. Des gouttes de sueur perlaient à son front. « Pourvu que Marcellin ne tarde pas trop ! Il ne faut plus jamais qu'il me laisse seul. Chaque fois qu'il me laisse seul, cela recommence ! »

Il regarda le réveille-matin posé sur le buffet : neuf heures. « Il sera encore à l'auberge du Midi, chez la Pierrette, cette grande bringue qui rit fort en ouvrant la bouche et regarde droit dans les yeux. Elle a un mari, mais Marcellin s'en moque. Il se moque de tout. Il ne craint ni Dieu, ni le diable. La femme d'autrui, le bien d'autrui, pour lui cela ne compte guère. Il prend son profit où il le trouve. Sans souci du mari ou du gendarme. Il braconne. Il a toujours braconné. C'est sa vie. Pourtant, il n'est pas mauvais garçon. Simplement, sa conscience est en sommeil. Si je le rendais heureux, il serait meilleur. Je suis son frère, et je ne sais pas le rendre heureux... » Le vantail gémit, comme si une main se fût appuyée contre les planches. Isaïe frissonna, murmura : « Qui est là ? » Puis, il ouvrit la porte.

Une clameur furieuse le frappa au visage. Dès le seuil, le monde se décrochait. Isaïe était au bord d'un trou noir. Venues des cimes invisibles, les rafales piquaient droit sur le hameau. Tantôt grave, tantôt aiguë, la voix de l'ouragan s'amplifiait de tous les échos de la montagne. Le dos collé au mur, Isaïe tendait l'oreille, écarquillait les yeux. Une pierre glissa du toit et tomba sur le sol à deux pas de lui. Jadis, il n'avait pas peur de la bourrasque. Il vivait en bonne intelligence avec les nuages, les rochers, la neige, les séracs.* Entre lui et le pays d'en-haut existait une alliance d'amour et de sécurité. Mais, un jour, le pays d'en-haut lui avait retiré sa confiance. On l'avait assez vu sur les pentes, avec son sac et son piolet. Il savait trop de choses. Le vent se tut pour reprendre haleine. Un silence d'angoisse pesa sur le monde. La nuit parut s'épaissir, se figer. Et le chant funèbre recommença, mais en sourdine. Isaïe huma dans l'air une douceur, une pureté, annonciatrices de la neige. Toutes ces vilaines morts, coup sur coup ! Il n'avait pas compris l'avertissement. Il s'était buté, comme un lutteur orgueilleux, qui refuse d'accepter sa défaite. Et, pour la troisième fois, le sort s'était prononcé contre lui. Il hurla :

— Marcellin ! Oho ! Marcellin !

Personne ne répondit. La nuit était vide. Isaïe rentra dans la maison. La troisième fois. Il y avait bien des années de cela, bien des années... La date exacte ? Il ne s'en souvenait plus. Encore une croix noire sur une page d'almanach. Et le nom du monsieur, à côté. Comment s'appelait-il, ce monsieur ? « Godin ?... Godot ?... Il faudrait voir... » Pour résister à l'attirance, il s'assit sur le banc et tourna le dos à la planchette chargée de livres. « Bientôt, Marcellin viendra et j'oublierai tout. » N'était-ce pas une voix sur la route ? Non, un dernier soupir du vent. Dans la montagne, ce jour-là, il n'y avait pas de vent. Le corps coincé de biais dans une fissure. A main gauche, le vide. A main droite, la muraille chauffée par un soleil doux et jaune. Le monsieur est en bas, logé dans un creux, comme un saint dans sa niche. Isaïe grimpe sans effort, palpant le roc, cherchant des encoches* pour ses pieds, pour ses mains. Cinq mètres plus haut, se trouve le surplomb qu'il compte utiliser pour se rétablir, assurer le client et l'amener prudemment jusqu'à lui. La lueur de la lampe baissait par saccades. Bientôt, elle ne serait plus qu'un point rouge dans les ténèbres. Sur la crête, le soleil fait fondre la neige et libère les plaques de verglas longtemps retenues par le gel de la nuit. L'oreille perçoit un bruissement d'étoffe soyeuse. Une lame vitrifiée, mince comme un couteau, siffle en passant devant le visage d'Isaïe. Puis, une autre. Instinctivement, il enfonce sa tête dans l'anfractuosité noire, humide. Un petit choc à la tempe. Ça ne fait même pas mal. Une éraflure. La chute des glaçons s'est arrêtée. « Quel est ce bruit? » Un mouton bêlait dans l'écurie. C'était la tourmente qui le navrait. Isaïe voulut se lever pour rendre visite à ses bêtes. Mais il ne pouvait pas bouger. Il était ailleurs. Avec le monsieur. Les souliers râclent la roche. Isaïe se hausse, d'une prise à l'autre, les genoux tremblants, les mains faibles. Du sang coule sur sa joue. Un voile danse devant ses yeux. A cause d'une blessure infime. C'est trop bête! Non! Non! La montagne oscille, se cabre, le repousse. Il perd l'équilibre. Ses ongles griffent le granit. Le voici seul dans l'espace, comme un oiseau, comme une pierre. Il voit le monsieur qui ouvre la bouche, avance les bras. Et, soudain, ils sont deux à dégringoler, cordes mêlées, cul par-dessus tête, dans l'abîme. Follement, Isaïe projette ses mains vers la pente et ne saisit rien. Ses tympans vibrent. Son cœur cesse de battre. Entre ses jambes écartées s'inscrit la terrifiante vision du glacier qui, quatre cents mètres plus bas, étale sa longue peau de serpent mort. D'une seconde à l'autre, ce sera l'écrasement final. Non. La montagne bombe le ventre et avance un tablier blanc. Couloir enneigé. Glissade.

Nuit noire. La lampe venait de s'éteindre. Isaïe se leva, marcha à tâtons vers le buffet, prit une bougie dans le tiroir et la planta dans le goulot d'une bouteille vide. Puis, il frotta une allumette soufrée contre son talon et l'approcha de la mèche. Un courant d'air, glissant sous la porte, couchait la flamme, déplaçait les ombres sur les murs. Isaïe revint à la table, posa le lumignon devant lui et, assis, les coudes aux genoux, la tête dans les mains, se laissa envahir par un désespoir tranquille. La caravane de secours* les découvrit le lendemain matin, effondrés, côte à côte, sur un névé* qui avait amorti le choc. Le monsieur, la colonne vertébrale brisée, mourut à l'hôpital, sans avoir repris connaissance. Isaïe souffrait d'une fracture du crâne et de nombreuses contusions internes. Trois opérations. Six mois de convalescence. Lorsqu'il retourna au hameau des Vieux Garçons, il était un homme diminué et meurtri. La guerre. Marcellin prisonnier. Lui, on l'avait réformé,* à cause de sa blessure. «Profite de l'aubaine, lui avait dit Joseph, reprends ton métier, on manque de guides, à cette heure.» Isaïe n'avait pas voulu. Il savait que le jugement de la montagne était sans appel. Marqué par le mauvais sort, il devait se contenter de vivre au niveau des maisons et des pâturages. En vérité, il ne souffrait pas trop de cette déchéance. Avec le temps, l'envie même de monter là-haut lui avait passé. Marcellin, à son retour de captivité, avait approuvé la résignation de son frère. « Au fond, il n'avait pas le goût de la montagne, Marcellin. Il me servait de porteur, parce que je l'obligeais à me suivre. Mais, quand il a compris que je n'étais plus bon à rien, ça a été pour lui comme un soulagement... » Un silence de réflexion avait succédé à la bourrasque. La flamme de la bougie brûlait droite, et on entendait grésiller la mèche. De toutes ses forces, Isaïe souhaita que Marcellin poussât la porte, franchît le seuil et dit : « Comment ça va, là-dedans? » Autrefois, Isaïe seul commandait dans la maison. Maintenant, il avait plus besoin de Marcellin, que Marcellin n'avait besoin de lui. C'était normal. « Faites qu'il vienne vite! Même s'il n'a pas trouvé de travail, qu'il s'est querellé* avec la Pierrette et qu'il est tout endévé!...* » Des rats trottinaient dans la grange. Isaïe leva les yeux vers la poutre maîtresse. Une inscription était gravée dans le bois: « Iaque Vaudagne a fait bâtir l'an 1853. Dieu soit béni.» Il répéta, à voix basse:

— Dieu soit béni.

Un coup de tendresse gonfla son cœur. Des larmes montèrent à ses paupières. Avant son accident, il ne pleurait jamais. Cette faiblesse lui était venue, avec les autres, depuis que les docteurs avaient touché à sa tête. Derrière la vitre noire de la fenêtre, la neige s'était mise à tomber, rare et lente, à gros flocons. Le réveille-matin marquait dix heures cinq. Isaïe fléchit les épaules et appuya son menton contre sa poitrine. « Oh! il viendra bien, il viendra bien... C'est affaire de patience... » La fatigue de la journée se rassemblait sur sa nuque. Ses paupières se fermaient. Il s'assoupit, courbé en deux.

Un courant d'air froid l'éveilla en sursaut. La porte s'était ouverte. Sur un fond de nuit, strié de charpies blanches,* Marcellin! Poudré de givre des épaules aux genoux, le visage durci, luisant, il frappait ses grosses chaussures contre le sol, pour les débarrasser de leur croûte neigeuse. Puis, il repoussa le battant, d'un coup de pied, jeta son béret dans un coin et s'avança, en se dandinant, vers la table. Trapu, le front bas, la bouche mince, il respirait avec effort et frottait ses mains l'une contre l'autre pour les réchauffer. Isaïe se dressa sur ses jambes gourdes et dit doucement:

— Te voilà donc!

Ensuite, il comprit que Marcellin était vraiment revenu et répéta d'une voix plus forte:

— Te voilà!

La joie lui coupait le souffle. Son âme devenait légère. Il saisit Marcellin par le bras, le traîna vers le banc, l'assit de force et le regarda dans les yeux, comme s'il ne l'avait pas vu depuis très longtemps:

— Tu as mangé?

— Oui, dit Marcellin.

— Je vais tout de même te chauffer la soupe.

Marcellin ne répondit pas. Etait-il content de sa journée? Impossible de le savoir. Des grains de neige fondaient dans ses sourcils. La flamme de la bougie se reflétait dans ses prunelles petites et noires, bien enfoncées sous la bosse du front. Sa bouche étroite remuait, mâchait de la salive. Il avait l'air fatigué et pensif. Isaïe raviva le feu sous la casserole de soupe. Malgré son impatience, il hésitait encore à parler des brebis. Mais chaque battement de cœur rapprochait les mots de sa langue. Il versa de la soupe dans une assiette.

— Tu sais, dit-il enfin, j'ai ramené les moutons. Tous, et trois agneaux en plus. Ils sont à l'écurie, tu peux les voir...

— Plus tard, dit Marcellin.

Il avait pris l'assiette des mains de son frère et mangeait sa soupe, le dos rond, à pleines cuillerées sifflantes. Isaïe se réjouissait de lui voir si bel appétit.

— Au village, dit-il encore, le vieux Rouby, Marie Lavalloud, Belacchi, Bardu, Coloz...

— Quoi? demanda Marcellin.

Isaïe se tut. Il ne savait plus ce qu'il voulait dire. Mais cette indécision ne dura qu'un moment. Très vite, ses idées se rassemblèrent en ordre.

— Ils aimeraient bien avoir des moutons comme nous!

s'écria-t-il gaiement. Ils me l'ont dit. Et puis, nous avons parlé de l'avion, qui est tombé dans la montagne...

— En ville aussi, on en parle, dit Marcellin. A l'auberge du Midi, c'était plein de journalistes, venus aux nouvelles.* Paraît qu'il n'y aurait pas un seul survivant, là-haut...

— Comment peuvent-ils savoir?

— Un pilote a survolé le massif. Les débris sont tout près du sommet. Et rien ne bouge. L'avion venait de Calcutta. Tu te rends compte?

— Oui, dit Isaïe. C'est un bout de chemin...* Calcutta... Calcutta...

Il prononça ce mot avec respect, les lèvres malhabiles, les yeux saillants.

— Chez les guides, dit Marcellin, ça discute ferme.* Il est question d'organiser une caravane de secours.

— Pourquoi faire, s'il n'y a pas de rescapés?

— Pour ramasser le courrier.

— Le courrier?

— Oui, les lettres.

— Ah! dit Isaïe.

Il ne comprenait qu'à demi cette affaire de lettres, mais ne voulait pas laisser paraître son embarras.

— Encore des morts dans la montagne, dit-il.

— Ils étaient une trentaine, dit Marcellin. Ne causons plus de ça. Chacun son deuil, chacun sa joie.

Il fit clapper sa langue. Ses lèvres étaient humides. La chaleur animait son visage. Il caressait le bois de la table avec ses longues mains maigres. « C'est comme un fils pour moi », pensa Isaïe. Et quelque chose se mit à trembler dans sa poitrine.

— Tu veux encore de la soupe? demanda-t-il.

— Non, dit Marcellin.

— Du lait?

— Donne toujours.

Tout en versant le lait dans un bol, Isaïe essayait de se rappeler la commission dont il avait chargé son frère, le matin même.

— As-tu parlé à Rivière, pour la lampe à souder? * dit-il enfin.

— Pas eu le temps, dit Marcellin.

— Et qui as-tu rencontré?

— Des gens.

Isaïe espéra que Marcellin lui donnerait des nouvelles de ses camarades: Nicolas Servoz, Blandot, le petit Vernier, tous ceux de la photographie. Certainement, son frère les avait vus, en ville. On ne pouvait pas aller en ville sans les voir, au café, au bureau des guides, dans la rue...

— Tu es passé à la compagnie?

— Non.

— Et les amis?

— Quels amis?

La voix de Marcellin était sèche. Isaïe baissa la tête. Il avait l'impression de marcher sur une mauvaise piste. Vite, rebrousser chemin. Mais Marcellin alluma une cigarette, et Isaïe se sentit un peu soulagé. C'était toujours bon signe quand Marcellin allumait une cigarette.

— Non, dit-il avec lenteur, je n'ai vu personne de la compagnie.

La fumée montait le long de sa joue et il plissait la paupière droite.

— D'ailleurs, reprit-il, je n'avais pas à les voir. Je n'étais pas descendu pour ça.

— Et pour quoi étais-tu descendu? demanda Isaïe.

— J'avais à faire, en bas.

En regardant son frère, qui souriait, détendu, repu, l'œil finaud, Isaïe reprenait définitivement confiance.

— Tu es content de ta journée? murmura-t-il enfin.

— Pas mécontent, grommela Marcellin en secouant la cendre de sa cigarette dans le bol vide.

Isaïe respira un bon coup* avant de poursuivre :

— Tu as trouvé du travail, peut-être ?

— Je n'en ai pas cherché, répliqua Marcellin.

— Ah ! non ?

Marcellin éclata de rire :

— Ne fais pas cette gueule,* Zaïe ! Je ne t'ai jamais dit que j'allais chercher du travail...

Il l'avait appelé Zaïe, comme lorsqu'il était enfant. Troublé par ce souvenir, Isaïe ouvrait la bouche, battait des paupières. De nouveau, il y eut un remue-ménage de douceur dans sa poitrine. Le plaisir coulait jusqu'au bout de ses doigts. Son frère s'était levé et marchait de long en large dans la pièce. Petit et vif, il était partout à la fois. Isaïe avait du mal à le suivre des yeux.

— Les coupes de bois, la scierie, et après quoi encore ? dit Marcellin. Nous ne trouverons pas mieux, même en ville. Et je ne tiens pas à me crever pour quatre sous. C'est bon pour les mazettes, ce jeu de misère. Moi, je vois plus grand. J'ai d'autres projets.

Une lueur d'espoir frappa Isaïe et dissipa la brume de ses pensées. Il dit d'une voix tremblante :

— Tu voudrais... tu voudrais devenir guide ?

Marcellin s'arrêta de marcher et son regard se durcit :

— Pour dévisser,* un jour, comme toi ? T'es pas un peu fou, non ?

— Je disais ça... je croyais..., balbutia Isaïe.

Il regrettait d'avoir irrité Marcellin et ne savait comment se faire pardonner sa maladresse.

— Tu as raison, dit-il. Ce n'est pas un métier pour toi.

— Ce n'est un métier pour personne, dit Marcellin. Autrefois, passe encore.* Mais maintenant... Un examen, un stage... Trop de guides, pas assez de clients...

— Et qu'est-ce que nous allons faire, alors? Pour vivre, il faut de l'argent. Nous n'avons pas d'argent...

Marcellin considéra son frère, des pieds à la tête, comme on mesure un obstacle.

— Tu ne veux pas me dire ce que nous allons faire? chuchota Isaïe d'une voix implorante.

— Pas ce soir, répondit Marcellin.

— Pourquoi?

— Il faut que je réfléchisse encore. On verra plus tard.

— Quand?

— Demain, peut-être...

Et, pour couper court à la discussion, il demanda soudain:

— Et les moutons? Tu ne me montres pas les moutons?

Ce fut comme un coup de balai dans le cerveau d'Isaïe. Tous les mauvais jugements s'envolèrent: Marcellin lui-même exigeait de voir les moutons!

— Viens, dit Isaïe. Viens vite...

Il prit la bougie, qui était aux trois quarts consumée, avec des bavures de cire qui descendaient le long de la bouteille. La lumière se déplaça. Marcellin ouvrit la porte de l'écurie. Une tiède odeur d'herbe sèche et de suint se dégageait du réduit. La tache pâle des toisons ondulait faiblement dans l'ombre. Un agneau bêla et sa mère lui répondit d'une voix paisible. Debout au seuil de ce repos, Isaïe enviait la sagesse des bêtes, à qui la rumination tenait lieu de pensée. Être comme elles, sans espoirs et sans souvenirs. Content de la provende et de la litière de chaque jour.

— Tu veux qu'on les approche? demanda-t-il.

— Non. Ça va comme ça, dit Marcellin. Ferme la porte.

Ils rentrèrent dans la salle.

— De belles brebis, soupira Isaïe. Et qui ne coûtent guère.

— Pour ce qu'elles rapportent!

— Comment ça? Et le salé?* Et la laine?

— Tu ne peux pas comprendre. Viens te coucher, dit Marcellin.

Isaïe passa une main sur son visage. Le poil de son menton craquait comme de l'herbe courte.

— Tu les aimes bien tout de même, nos brebis? demanda-t-il avec inquiétude.

— Mais oui, je les aime bien.

Ils pénétrèrent, l'un derrière l'autre, dans la chambre froide, où étaient les deux lits à cadres de bois, hauts sur socles, et garnis d'édredons obèses.* La flamme de la bougie se reflétait dans le verre ovale qui protégeait l'image du Sacré-Cœur de Jésus, pendue au mur. De ce point rouge partaient des rayons. Tout à côté, il y avait un bouquet de fleurs séchées et deux cartes postales, dont l'une représentait sainte Thérèse de Lisieux, et l'autre, la Tour Eiffel. Un paquet de vieux journaux gisait près du lit réservé à Marcellin. Il les lisait parfois, avant de s'endormir. Et Isaïe, quand il voyait son frère, penché sur une liasse de feuilles imprimées, ne pouvait s'empêcher d'admirer sa patience.

Mais, ce soir-là, Marcellin laissa les journaux dans leur coin et, à peine couché, souffla la bougie. Une faible clarté lunaire venait de la fenêtre. Dans la pénombre, Isaïe distinguait confusément, non loin de lui, la forme d'un visage, écrasé, de profil, contre l'oreiller. Une respiration rauque, inégale, soulevait le poids du silence. Des planches craquaient, travaillées* par la neige. Etendu sur le dos, les yeux ouverts, Isaïe cherchait la raison de cette joie, qui l'empêchait de dormir. Il avait oublié les almanachs, les croix noires, tout ce passé de malchance et de mort. « Mon frère est revenu.

Il est couché près de moi. Et, demain, nous passerons la journée ensemble. » Cette idée l'accompagna, comme une bonne nouvelle, jusqu'à l'instant où il glissa, la tête divagante et les membres las, dans le sommeil.

III

Marcellin était encore couché, quand Isaïe s'installa devant la maison pour tailler des ancelles. De la main gauche, il appuyait fermement le couteau sur la bille de mélèze. Sa main droite tenait le maillet. Un coup sec, et la lame s'enfonçait dans le bois, sans dévier d'une ligne. Autour de lui, la campagne était grise et blanche. La neige de la nuit entrait dans la terre. Les montagnes, usées, poudrées, lointaines, s'en allaient à la dérive.* On entendait les clochettes des chèvres, que le petit pâtre communal menait paître, pour la journée, sur les pentes basses. Au moindre choc, répondait l'aboiement fidèle de l'écho. Isaïe ramassa une planchette détachée du bloc et l'examina scrupuleusement. Son doigt glissait le long des fibres. Il pensait à des choses simples. Il était heureux. La voix de Marcellin le tira de son hébétude :

— Isaïe ! Oh ! Tu dors ?

Son frère était derrière lui, rasé, peigné, le haut de la chemise ouvert, un foulard verdâtre tordu autour du cou.

— Je ne t'ai pas entendu venir, dit Isaïe avec un sourire fautif. As-tu pris ton café, au moins ?

— Oui. Et toi, que fais-tu ?

— Je bricole, je taille des ancelles. Avant, j'ai soigné les bêtes, tiré le lait, fait le feu, graissé les chaussures...

— Tu es un type épatant, dit Marcellin.

Ce compliment étonna Isaïe, comme s'il eût reçu un

baiser sur la joue. Il se redressa, le visage chaud d'émotion. Il songeait: « Nous sommes rudement bien ensemble, lui et moi ! »

— Pendant que tu travaillais, reprit Marcellin, j'ai employé mon temps.

— Tu as travaillé aussi?

— J'ai réfléchi.

— A quoi?

— A mon projet. Hier soir, ce n'était pas l'occasion d'en parler. Mais, ce matin, la chose est mûre. Je pense que tu m'approuveras.

Isaïe tournait la planchette entre ses mains.

— Pour sûr que je t'approuverai,* Marcellin, dit-il.

— Laisse cette planchette.

— Bien, Marcellin.

— Et viens avec moi dans la maison. On sera mieux pour causer.

Isaïe suivit son frère dans la grande salle, s'assit sur un banc, près de la fenêtre, et tendit le cou pour montrer qu'il était dans une disposition d'esprit attentive.

— Ne bouge plus, dit Marcellin. Ecoute-moi. Tâche de comprendre. Ce n'est pas compliqué...

Il parlait d'une voix douce, persuasive:

— Que penses-tu de la vie que nous menons ici, toi et moi?

— Elle est comme elle est, dit Isaïe.

— La solitude et la misère. Dans le temps, quand tu faisais le métier de guide, on pouvait se dire: le pays nourrit son homme. Mais la montagne n'existe plus pour toi, depuis ton accident. Et moi, je ne l'ai jamais beaucoup aimée.

Isaïe inclina la tête sur le côté pour mieux entendre. Au ton de son frère, il avait compris que la conversation était sérieuse. Il devait donc veiller à ne pas décevoir Marcellin par des propos inconsidérés.

— Va toujours, dit-il.

— Si quelque chose t'échappe, arrête-moi.

— Je t'arrêterai.

— Ailleurs, reprit Marcellin, les gens se remuent, s'amusent, font fortune. Pourquoi restons-nous à l'écart de tous, enlisés dans notre boue de neige, avec notre lampe à pétrole et nos moutons ?

— Ça, c'est vrai, murmura Isaïe, par chez nous la terre n'est pas facile.

Et il devina aussitôt que Marcellin était content de sa réponse.

— Pas facile ! Tu peux le dire ! Eh bien ! moi, j'en ai assez de cette terre pas facile !

— Tu en as assez ?

— Oui, je veux partir.

Le mot tomba comme un caillou dans un puits. Isaïe sentit des cercles qui s'élargissaient derrière les os de son crâne. Il dit :

— Partir ? Comment, partir ?

Marcellin, debout devant lui, les mains dans les poches, souriait avec assurance :

— Partir, tout simplement. M'installer en ville. Travailler dans le commerce. Comme le fils Augadoux. Tu te souviens du fils Augadoux ?

— Oui, Marcellin.

— C'était un garçon pas plus intelligent, pas plus bête qu'un autre. Depuis trois ans, il a ouvert un magasin, en face la gare.* Il se débrouille. Il donne des leçons de ski. Il vend des articles de sport...

— Tu vendras des articles de sport ?

— Pourquoi pas ? Le fils Augadoux m'a proposé de m'associer avec lui. Ce serait agréable. Un travail facile. Des rentrées* sûres. Seulement, je devrai verser ma part...

— A qui ?

— A Augadoux. Si je veux toucher les bénéfices, il faut que je mette de l'argent dans l'affaire.

— Tu n'as pas d'argent.

— Je n'en ai pas, mais je peux en avoir...

Isaïe avait de la peine à croire qu'il était bien éveillé, dans sa maison, et que la voix qu'il entendait était celle de son frère. Ses forces diminuaient dans la mesure où il concevait mieux ce que lui disait Marcellin. Il regarda le foyer de pierre, comme pour se raccrocher à quelque chose de solide, d'indestructible.

— Tu m'écoutes? demanda Marcellin. Répète ce que je t'ai dit.

— Tu veux partir et il te faut de l'argent.

— Bon. Cet argent, je sais, à présent, où je peux le trouver.

— Où ça?

— La maison, dit Marcellin.

— Quoi? la maison?

— Elle vaut quelque chose.

— Sans doute!

— Hier, je suis descendu en ville pour voir le notaire, oui, maître Petitfonds. Je lui ai expliqué mon affaire. Il a un acquéreur.

— Un acquéreur? dit Isaïe.

— Un acheteur, si tu préfères... Quelqu'un de sérieux. La grosse fortune. Industriel dans le Nord. Toutes ses vacances, depuis six ans, il les passe en montagne. Maintenant, il cherche une vieille bâtisse, dans le goût du pays, pour la transformer en châlet. Maître Petitfonds est sûr que notre bicoque lui plaira. Nous la vendrons dans de bonnes conditions. Et, avec la part qui me revient, je deviendrai l'associé d'Augadoux...

Il parlait si vite, qu'Isaïe, instinctivement, courbait le dos, comme pour se protéger d'une averse. Des mots ruisselaient le long de ses oreilles: « La bicoque... nous la vendrons... l'associé d'Augadoux... » Puis, il y eut un coup de boutoir dans sa poitrine.

— On ne peut pas vendre la maison, dit-il.

— Pourquoi ?

— Nous y sommes nés, toi et moi, et le père y est né, et le père du père...

— Justement, dit Marcellin. Leur vie nous prouve que, même en travaillant comme des forçats, on n'amasse pas de gain, à la fin de sa peine, dans ce chien de pays. Quant à la maison, regarde-la, que lui trouves-tu de beau ?

— Elle est la maison, dit Isaïe.

En vérité, il n'eût pas été plus surpris si Marcellin lui avait demandé de se trancher le bras ou la jambe. La maison tenait à sa chair. Il n'était rien sans elle et elle n'était rien sans lui. Marcellin fit un pas en avant. La lumière de la fenêtre éclaira son visage. Il n'y avait pas de colère dans ses yeux.

— Je sais, dit-il, moi aussi, je suis un peu chagrin à l'idée de quitter. Mais, si on veut avancer, il faut se débarrasser des poids morts.

— La maison n'est pas un poids mort, dit Isaïe.

— Si, puisqu'elle ne rapporte rien.

— Et où irai-je habiter, si nous n'avons plus la maison ?

— Dans une autre maison.

— Avec toi ?

— Non, moi, je te l'ai déjà dit, je m'installerai en ville.

Isaïe secoua la tête :

— Comment ferais-je sans toi ? dit-il.

Malgré lui, il pensait à cette nuit où Marcellin était venu au monde. Il se revoyait, tenant dans ses mains une faible masse de chair hurlante, et la mère qui gémissait sur sa couche.

— Si tu ne veux pas vivre seul, dit Marcellin, tu n'as qu'à te marier.

Isaïe avait encore le nouveau-né sous les yeux, et c'était le nouveau-né qui parlait ainsi, d'une voix grave, autoritaire.

— Cinquante-deux ans, ce n'est pas vieux, reprit Marcellin. J'en connais une, en tout cas, qui ne ferait pas la grimace: Marie Lavalloud...

La phrase était venue si vite, qu'Isaïe en perdit la respiration. Puis, tout le sang de son corps lui monta au visage.

— Laisse Marie Lavalloud, dit-il.

Or, Marcellin tenait à son idée:

— Elle a cinq ans de plus que toi, mais elle est encore agréable à voir. Solide, propre, courageuse. Sa maison, une fois retapée, serait la plus avenante du village. Toute seule, elle n'arrive pas à faire prospérer son bien. Il lui faut un homme. Tu tournais autour d'elle, il y a trente ans. Tu me l'as raconté toi-même...

C'était vrai. Autrefois, Isaïe avait aimé Marie Lavalloud. Mais sa crainte des femmes l'avait empêché de le lui dire. Elle vivait seule avec ses parents. Elle attendait. Elle pâlissait. Et il n'osait pas. Le père et la mère de Marie étaient morts, à peu de jours l'un de l'autre, et elle était partie pour se placer dans la vallée, comme servante, chez un curé. Longtemps, Isaïe avait souffert, en silence, de cette séparation. Ensuite, l'oubli était venu pour lui, à cause de la montagne, qui le prenait chaque jour davantage. Vingt-neuf ans plus tard, le curé était mort, à son tour, et Marie Lavalloud était retournée au village pour s'installer dans la grande maison vide.

— Quand je la rencontre, dit Marcellin, elle me parle toujours de toi. Tu serais bien avec elle. Elle te soignerait. Tu ne manquerais de rien. A ton âge et dans ton état, c'est une aubaine. Et, de toute façon, je viendrai te rendre visite, très souvent...

Isaïe concevait mal que la jeune fille ronde et fraîche de son passé fût devenue cette créature noueuse, à l'œil terne, au menton branlant. Chaque fois qu'il pensait à elle, il éprouvait la sensation d'une méchante plaisanterie de Dieu.

— Non, Marcellin, dit-il, ce n'est plus le temps pour moi de songer au mariage. Si tu t'en vas, je resterai seul, je périrai seul. Tu ne peux pas le vouloir.

— Sans doute, je ne le veux pas, dit Marcellin d'une voix agacée.

— Alors, je suis content.

Marcellin se gratta la nuque avec un doigt :

— Il y a une autre solution... oui... pour le cas où tu t'entêterais à demeurer garçon... J'ai pensé à tout... Tu vas voir...

— Oui, Marcellin.

— Une fois la maison vendue, je pars, et toi, tu t'installes chez Joseph, pour quelques mois, le temps que j'arrange mon affaire avec Augadoux... Puis, je te fais venir... Je te loge avec moi... Et nous reprenons notre vie commune... C'est gentil, ça... C'est fraternel... Tu ne vas pas refuser ?

Visiblement, il était sur le point de perdre patience. Il se pencha sur son frère, comme pour le couvrir de son ombre, de son idée. Isaïe voyait les yeux brillants qui lui ordonnaient d'accepter. Un souffle chaud caressait sa figure.

— Qu'attends-tu ? Réponds ! dit Marcellin.

— C'est pour la maison, chuchota Isaïe. Je voudrais que tu me comprennes. Quand tu me comprendras, tu diras comme moi.

Le visage de Marcellin se serra, dur comme pierre :

— C'est à toi de comprendre et pas à moi ! Mais je suis trop bon ! Un propre à rien, avec sa tête fêlée...

— Ne parle pas de ça, Marcellin, dit Isaïe d'une voix suppliante.

— Pourquoi n'en parlerais-je pas? Parce que ça te gêne? Chacun son tour. Tu m'as bien gêné, toi, pendant des années!

— Je n'ai pas pu te gêner. Toujours, j'étais d'accord avec toi.

— D'accord, oui, comme une bille* de bois est d'accord avec qui la roule. J'ai vécu avec une bille de bois, depuis mon retour de captivité. On se lève, on mange, on travaille, on se couche. Quatre mots échangés par jour. Tu penses que c'était drôle, peut-être? Mais j'ai supporté ça. Par pitié. Pas autrement: par pitié. Je croyais que tu aurais de l'amitié en retour. Je te connaissais mal. Un imbécile, mais un imbécile têtu! Il suffit que je te demande un service pour que tu te rebiffes... Oui, ou non, vas-tu me laisser vendre?...

Un frisson parcourut la nuque d'Isaïe. Sa tête lui faisait mal. Lentement, il avança la main, toucha le mur de la maison. Il avait besoin de la sentir là, encore debout, encore à lui.

— Non, dit-il.

Marcellin fit un pas en arrière. Une contraction nerveuse tirait ses lèvres.

— Eh bien! dit-il, je vais t'apprendre une chose. J'ai pris mes renseignements, chez le notaire. Tu n'as pas le droit de refuser le partage.

Tout en parlant, il avait tiré un papier de sa poche et le poussait sous le nez d'Isaïe:

— Maître Petitfonds a tout noté. Tu n'as qu'à lire: «Article 815 du Code Civil: «Nul ne peut être contraint à demeurer dans l'indivision, et le partage peut être toujours provoqué, nonobstant prohibitions et conventions contraires.» C'est clair, il me semble!

— Je ne sais pas, dit Isaïe.

— Cette maison nous appartient à tous les deux. Et la loi me permet, si je le veux et quand je le veux, de la vendre pour toucher ma part.

— Si tu le veux et quand tu le veux?...

— A toi de choisir. Ou nous nous entendons entre nous, trouvons l'acheteur, débattons le prix, partageons la somme, ou, comme le dit maître Petitfonds, c'est le tribunal qui procédera à la vente aux enchères.

Il jeta le papier sur la table:

— C'est inscrit là-dessus. Tu peux lire...

Isaïe, la main tendue, caressait toujours la surface granuleuse et froide du mur. Il flattait la maison, du bout des doigts, comme si elle eût été un être vivant.

— Personne ne peut forcer un homme à abandonner sa maison, dit-il. Ni les juges, ni les notaires, ni les gendarmes...

Marcellin pouffa de rire, les yeux bridés, les dents découvertes jusqu'aux gencives:

— Pauvre idiot! Pour qui te prends-tu? Si tu t'obstines, on t'enfermera! Et pas en prison! Dans un asile d'aliénés! Il y a longtemps que tu devrais y être!

Un éclat de feu passa devant la figure d'Isaïe. Les idées tournaient à gros bouillons dans sa tête. Son corps était ébranlé jusqu'aux racines par la concentration d'une force extraordinaire. Il se mit debout sur ses jambes. Ses poings se levèrent, énormes, lourds, prêts à frapper. Sa bouche faisait un petit bruit bête:

— Teu... teu.. teu...

D'un bond, Marcellin se réfugia près de la porte. Puis, il cria:

— Qu'est-ce qui te prend?

Des bêlements venaient de l'écurie. Isaïe laissa retomber ses mains. L'air qu'il respirait était triste. Il dit:

— Tu ne m'aimes plus, Marcellin.

Marcellin redressa la taille, se déplia, comme après le passage d'une avalanche. Il avait pâli. Son menton était pointu. Ses paupières clignaient.

— Comment veux-tu qu'on t'aime? grommela-t-il d'une voix faible. On ne peut pas discuter avec toi. Tu n'as plus de raison. Réfléchis un peu. Dis-moi que tu acceptes. Et j'oublierai tout...

Il y eut un silence. La maison attendait.

— Tu es sûr que je ne peux pas t'empêcher de vendre? dit Isaïe.

— Si tu ne me crois pas, nous irons voir maître Petitfonds ensemble. Il t'expliquera. Il te montrera le livre...

— Et cette vente, ce serait pour quand?

— Je ne sais pas encore. Le notaire doit téléphoner ce soir.

— A qui?

— Au monsieur du Nord. Il lui parlera de l'affaire.

— Par téléphone?

— Oui. Et, demain matin, il me donnera la réponse.

— On vendra demain matin?

— Mais non, grosse bûche! s'écria Marcellin. Demain matin, j'irai simplement revoir maître Petitfonds, et il me dira si, en principe, l'affaire intéresse son client.

— Et si elle l'intéresse?

— On attendra que le client arrive pour traiter. De toute façon, ce monsieur ne viendra pas dans le pays avant la Noël.

— Et si ça n'intéresse pas ce monsieur?

— On en cherchera un autre.

— Cela fera du temps?

— Sans doute.

Isaïe poussa un soupir de soulagement. Le péril s'éloignait.

— Tu as compris maintenant? demanda Marcellin.

— J'ai compris.

— Et tu dis : oui.

— Je dis : non.

Marcellin lui lança un regard noir et vif comme un jet d'encre. Un moment, il sembla décidé à reprendre la discussion. Puis, il fit, avec la main, le geste d'écarter une toile d'araignée, et dit :

— Je ne veux plus te bousculer aujourd'hui. Prends la peine de penser. Peu à peu, tu t'habitueras à l'idée. Et, quand tout sera réglé, tu me remercieras.

— Je te promets de penser, dit Isaïe. Mais ce sera pour rien.

Marcellin prit sa veste pendue à un clou, la jeta sur ses épaules et sortit. Isaïe resta longtemps immobile. Sa bouche s'ouvrait, se refermait. Des larmes coulaient sur ses joues. Un peu plus tard, il se dirigea, en traînant les pieds, vers la porte. Marcellin avait disparu derrière l'épaulement de la route.

— Marcellin, où vas-tu ? cria Isaïe.

Pas de réponse. De rares flocons de neige descendaient du ciel. A demi masquées par le brouillard, les montagnes, immuables depuis des siècles, démentaient la possibilité du moindre changement dans le relief du pays comme dans la vie des hommes. Leur présence était rassurante. De toutes leurs pierres dressées, elles approuvaient Isaïe. Il ramassa une planchette et se mit à la façonner, sans plaisir, avec son couteau : « C'est ce notaire qui lui a fourré des idées en tête !... »

Il rentra dans la maison, prit le papier sur la table et le lut, mot à mot, lentement : « Nul ne peut être contraint... » C'était l'écriture de maître Petitfonds. Isaïe plia le papier et le glissa dans sa poche :

— Tout est de ma faute... Je n'ai pas su expliquer à Marcellin. Les bonnes paroles m'ont manqué... J'aurais dû lui dire : « Cette maison n'est pas belle, mais nous n'avons pas le droit de la vendre, parce que, s'il était vivant, le père ne l'aurait pas permis... »

Cet argument lui parut irréfutable. Maintenant, il était impatient de revoir son frère pour l'éclairer. Où était Marcellin? Sans doute était-il allé chez Joseph, pour mêler son dépit dans le vin blanc. C'était sa manière, à lui. Et, après, il était plus furieux encore et malade. Un élan de charité poussa Isaïe sur la route. Il marchait à grands pas dans le frôlement pur de la neige. Ses bras ballaient sur ses cuisses. Il respirait fortement :

— Un gamin ! Il n'a pas bonne conscience...

La neige s'était arrêtée de tomber. Les premières demeures du village apparurent, plus noires et plus basses que d'habitude, sous leur coiffe de poudre blanche. La maison de Marie Lavalloud se tenait à l'écart des autres, accroupie au bord du chemin, avec son porche ouvert pour avaler le chaud et le froid. Un gros chien roux courut, en aboyant, à la rencontre d'Isaïe.

— Isaïe ! Tu viens réparer mon fenil?

Marie Lavalloud sortait de chez elle, une hotte sur le dos, les reins pliés. Sa bouche édentée souriait gaiement. Ses pommettes étaient roses. Isaïe détourna les yeux. Une vague de honte montait en lui, venait à fleur de peau. Il rougit. Il dit :

— Non. Aujourd'hui, je n'ai pas le temps. Mais demain...

— Tu es bien pressé ! Tu vas chez Joseph, sans doute?

— Comment le sais-tu?

— Tous les hommes y sont.

Il fut pris d'une crainte irraisonnée :

— Tous les hommes? Pourquoi?

— Pour discuter. Il y a de quoi, paraît-il ! Moi, je monte au bois chercher quelques fagots...

Il la regarda s'éloigner, boîteuse et robuste, noire dans le gris du monde. Le gros chien roux la suivait, le nez fureteur, la queue en trompette.*

Le village était désert. Du café de Joseph sortait une rumeur de vie. Isaïe poussa le battant et s'arrêta sur le seuil, aveuglé par la pénombre, assourdi par le bourdonnement des voix. Les pipes fumaient. Les visages bougeaient. Des chiens mouillés se séchaient derrière le poêle en fonte. Marcellin était installé devant la grande table, avec Belacchi, Coloz, Rouby et Bardu.

— Entre, Isaïe, tu arrives bien ! cria Joseph. Faites-lui une place. A côté de Marcellin. Faut pas les séparer, ces deux-là !...

Isaïe sourit à la ronde, enjamba le banc et s'assit à la droite de son frère. Le front lourd, l'œil mauvais, Marcellin tournait un verre de vin blanc entre ses doigts.

— Tu n'es pas fâché que je sois venu ? murmura Isaïe.

— Tu es libre, dit Marcellin.

— J'ai déjà réfléchi, pour la maison...

— Tu sais la nouvelle, Isaïe ? demanda le maire. Ce matin, à dix heures, une caravane de secours a quitté la ville pour monter là-haut, vers l'avion. Deux cordées* de trois. C'est Nicolas Servoz qui les conduit. En cette saison ! Qu'en penses-tu ?

Venu pour parler à son frère, Isaïe se sentit brusquement détourné du but. Il regardait, à droite, à gauche, sans bien comprendre ce que lui voulaient tous ces gens assemblés. Enfin, dominant le tumulte de son esprit, il marmonna:

— Si Nicolas Servoz l'a décidé, c'est qu'il est sûr de passer droit. Il connaît son affaire...

— Il connaît son affaire, dit le gendarme, mais il risque gros !

— Pour risquer gros, oui, il risque gros,* dit Isaïe.

— C'est de la folie, s'écria le maire, de jouer la vie de

six hommes dans de pareilles conditions ! Si encore il y avait des victimes à sauver ! Mais non. On l'a bien dit à la T.S.F. Rien que des cadavres et des sacs postaux. Ils y vont pour les sacs postaux ! Pour de la paperasse !...

Profitant du brouhaha créé par les paroles de Belacchi, Isaïe se pencha vers son frère et lui chuchota à l'oreille:

— Sortons, je te dirai pourquoi je ne veux pas vendre. Je te le dirai si bien, que tu ne pourras pas m'en vouloir. Quand tu es parti, j'ai trouvé les mots.

D'un coup de coude, Marcellin lui ordonna de se taire.

— Ils seront au glacier à quatre heures, dit Joseph.

— Compte cinq heures plutôt, soupira Bardu. Drôle de bivouac ! Et le plus dur sera pour demain.

— Ils auraient pu le faire dans la journée en partant de nuit, dit le maire. Tu l'as bien fait en une journée, Isaïe, dans le temps ?

Isaïe sursauta, délogé de ses préoccupations personnelles. Pour la seconde fois, le fil de sa pensée était rompu. Il courait dans le vide.

— Eh bien ! Isaïe, on te parle ! cria Joseph.

— Oui, dit Isaïe, autrefois, je l'ai fait. Mais c'était en été. Et nous sommes au début novembre. Le plus sale moment. Au-dessus de trois mille, tout est enneigé, verglacé. Et ça empire à vue d'œil. Ils marcheront en aveugles. A mi-cuisse dans le mou. Avec des ponts de neige tout pourris. Le brouillard. Le froid...

— A la place de Servoz, je serais passé par la face sud, dit Bardu.

— T'es pas fou ? dit Joseph. C'est tout rocher lisse par là.

— Et alors ?

— En cette saison, autant se couper les doigts* avant de partir...

Isaïe tira la manche de Marcellin, à petits coups timides :

— Allons-nous-en. C'est pas en restant chez Joseph que nous nous entendrons comme frères...

Au lieu de répondre, Marcellin vida son verre et s'essuya la bouche avec le revers de la manche.

— Si tu mettais la radio, Joseph ? demanda-t-il.

— Ce n'est pas encore l'heure des informations, dit Joseph. Dans cinq minutes.

Il avait posé la main sur son poste de T.S.F., le seul de la commune. Tous les regards se tournèrent avec respect vers la petite caisse de bois marron, ornée de boutons en ébonite. Mystérieuse et opaque, elle trônait, près de la cheminée, sur une planchette clouée au mur. Des lambeaux de suie pendaient le long du fil d'antenne.

— De toute façon, on ne saura rien encore, dit le maire.

— Viens, Marcellin, dit Isaïe. Qu'est-ce que ça peut te faire, cet avion ? Viens chez nous. On a trop à se dire...

— Je me fous de l'avion,* grogna Marcellin sans desserrer les dents. Mais ici, au moins, je ne suis pas seul avec toi. Et ça me soulage...

Isaïe baissa les paupières. Il lui sembla que du brouillard entrait dans ses poumons, dans sa tête. Autour de lui, les autres parlaient toujours d'avalanches, de surplombs, de tailles,* de tirées,* vantaient les mérites de Servoz, dénombraient les difficultés de l'expédition. Tout à coup, le maire dit :

— Il est midi juste.

— Tu es sûr ? demanda Joseph, l'œil méfiant.

Il regarda la pendule, puis tira de sa poche des lunettes à monture de métal, les plaça en équilibre sur son gros nez et s'approcha du poste avec componction. Les conversations s'arrêtèrent. Du bout des doigts,

Joseph caressait les boutons d'ébonite. Un œil vert s'alluma au fronton de la caisse.

— Il chauffe, dit Joseph. Patientez un peu.

Enfin, une voix lointaine, grésillante, se fit entendre.

— Les nouvelles politiques, dit le maire.

Marcellin prit une bouteille de vin sur la table et remplit son verre jusqu'au bord. Isaïe voulut l'empêcher de boire :

— Tu sais que ça te retourne.

— Ce qui me retourne, ce n'est pas le vin, c'est ton entêtement de bourrique !...

— Taisez-vous, là-bas ! gronda Joseph.

Tous attendaient, le regard fixé sur le poste, la respiration contenue. L'homme de la radio parlait sans arrêt, d'une manière fluide, aimable et monotone.

— Ah ! dit Coloz, nous y sommes !...

— Malgré les risques de gel, de brouillard et d'avalanches, dit le commentateur, une caravane de secours, composée de six guides expérimentés, est partie ce matin, à dix heures, sous la conduite du guide-chef Nicolas Servoz, pour tenter de rejoindre les débris de l'avion *Blue Flower*, de la ligne Calcutta-Londres. Bien qu'il n'y ait pas le moindre espoir de trouver des rescapés sur les lieux du sinistre,* un parachutage de vivres et de produits pharmaceutiques a été effectué au-dessus de l'épave. Admirablement équipés et entraînés, les sauveteurs sont munis de ravitaillement, de traîneaux de secours, de postes de radio portatifs et de fusées. Aux dernières nouvelles, les deux cordées, de trois hommes chacune, progressent lentement à cause de la forte épaisseur de neige qui recouvre les pentes. Hier, au cours du match de football qui opposait l'équipe de France à l'équipe d'Angleterre...

Joseph tourna un bouton et la voix se tut.

— C'est tout ? demanda Marcellin.

— Que voulais-tu qu'ils te disent de plus? répliqua Joseph avec humeur. Demain, sans doute, on sera mieux renseignés.

Les hommes se levaient un à un, hochaient la tête, payaient, se dirigeaient vers la porte:

— Adieu, Joseph.

— On repassera.

— Si tu sais du nouveau...

— Maintenant, nous pouvons rentrer, n'est-ce pas? demanda Isaïe.

Ils sortirent les derniers. Marcellin marchait, les mains dans les poches, le menton appuyé sur la poitrine. Rien qu'à le voir, Isaïe sentait croître son embarras. Il avait oublié la belle phrase qu'il avait préparée en l'absence de son frère. Comment était-ce donc? « Le père n'aurait pas permis... Si le père avait vécu... » Comme ils arrivaient devant la maison, il s'arrêta et dit:

— Regarde-la, Marcellin. Tu ne sens pas qu'elle est à nous?

— Et après? Nous serons plus heureux quand elle sera à d'autres.

— On pourrait peut-être attendre, voir venir...

— J'ai déjà trop attendu.

— Tu iras chez le notaire, demain?

— Oui. Il faut en finir.

— Et si je ne veux pas, moi, qu'on en finisse?...

Marcellin serra les mâchoires. De petits os ronds roulaient sous la peau de ses joues. Ils rentrèrent dans la maison et Isaïe prépara le repas, comme il le faisait tous les soirs.

IV

— Isaïe! Isaïe! viens vite!

C'était la voix de Bardu, le braconnier. Isaïe, qui travaillait depuis deux heures à réparer le fenil de Marie Lavalloud, se dressa, posa son marteau, cria:

— Qu'est-ce que c'est?

Le vent de neige, passant entre les planches disjointes, l'empêcha d'entendre la réponse. Une ombre crépusculaire noyait les profondeurs de la grange. Il y avait encore beaucoup à faire pour boucher les trous. Deux faux et trois râteaux étaient pendus à des chevilles de mélèze. Isaïe contourna la masse de foin, se pencha par la trappe et cria de nouveau:

— Qu'est-ce que c'est?

Puis, il se mit à descendre la raide échelle de bois qui menait à la salle basse. Ses genoux tremblaient. Une brusque angoisse avait pénétré son cœur. Depuis la discussion qu'il avait eue avec son frère, il redoutait constamment une mauvaise nouvelle. Ce matin, Marcellin était parti très tôt pour la ville, sans rien dire. Peut-être était-il déjà revenu, accompagné du notaire, du juge, des gendarmes? Et ces messieurs, réunis au hameau, étaient en train de vendre la maison.

— Nom de nom!* grommelait Isaïe. Nom de nom! Si c'est ça...

Il dégringola les derniers barreaux et atterrit devant Marie Lavalloud et Bardu. Leurs visages étaient graves.

Le braconnier secouait sa vieille tête plissée, rouillée et piquée de poils blancs.

— Alors? demanda Isaïe.

— Servoz... Servoz s'est tué, chuchota Bardu.

Isaïe était si loin de penser à Servoz, qu'il mit un long moment à comprendre ce qu'on lui disait. Il répéta machinalement:

— Tué?

— Oui... Ce matin... En traversant le glacier... La lèvre d'une crevasse a foiré...* Et le voilà précipité au fond par une coulée de neige... Enseveli sous six bons mètres de poudreuse... Quand on l'a dégagé, il était mort...

— Sainte Vierge! balbutia Marie Lavalloud, mourir ainsi, pour un avion... pour un avion qui n'est même pas de chez nous!

Elle jeta un regard à Isaïe, comme pour l'inviter à donner son avis sur l'événement. Mais Isaïe ne parlait pas, ne bougeait pas.

— Et il a femme et enfants, le pauvre! reprit Marie Lavalloud. Ça doit faire joli,* en ville!

Sa figure ravinée, aux yeux ronds et pâles, tremblait d'indignation. Elle tenait dans une main un couteau et, dans l'autre, une pomme de terre. Isaïe considérait fixement le couteau, la pomme de terre, et se laissait envahir par la certitude d'une catastrophe sans remède. Avec Servoz, c'était le témoin de ses meilleures années qui changeait de route. Cet homme-là disparu, chacun, dans le pays, devait se sentir un peu plus seul, un peu plus misérable.

— Pour un coup dur, c'en est un,* grogna Bardu.

— Nicolas Servoz, dit Isaïe avec effort, c'était quelqu'un... On avait fait beaucoup de courses ensemble. Et voilà... Bêtement... Il n'aurait pas dû... Si j'avais été là, je l'aurais empêché de partir...

Les mots se déformaient en passant dans sa gorge.

— La caravane a rebroussé chemin, dit Bardu. Ils ramènent le corps. Le gouvernement a ordonné d'abandonner les recherches. A cause du danger. C'est le gamin à l'Antoinette* qui m'a raconté ça. Il revient de la ville...

— Je l'aurais empêché de partir, reprit Isaïe. Il m'écoutait toujours... Il aurait grondé... Et puis, il aurait dit: « T'as raison, Isaïe... »

Soudain, il se mit à crier:

— On ne tombe pas comme ça!... Pourquoi ne l'ont-ils pas retenu?... Ils étaient encordés, tout de même?... Ils auraient dû!...

— Si tu veux des détails, viens chez Joseph, dit Bardu.

Isaïe pressait ses larges mains contre ses cuisses, comme pour s'interdire de frapper quelqu'un:

— Voilà... Les guides d'aujourd'hui sont des demoiselles... Ils ont perdu la tête... Ils l'ont laissé couler au fond...

— Va chez Joseph, Isaïe, dit Marie Lavalloud.

— Et ton fenil? Je n'ai pas terminé, là-haut...

— On n'y voit plus goutte. Tu finiras un autre jour.

— Ils l'ont laissé couler au fond... Et maintenant, il est mort...

Marie Lavalloud le poussa dehors par les épaules. La neige fondait en boue devant les portes des maisons. Chez Joseph, tous les hommes de la commune s'étaient réunis pour commenter la nouvelle. Même M. le Curé était là. Mais personne ne buvait. Les visages portaient le deuil. Comme du fond d'un rêve, Isaïe entendait des bribes de conversation.

— L'ambassadeur des Indes est arrivé en ville... On enterrera Servoz dans deux jours... Des funérailles nationales... Il ne pouvait pas passer... Si, il pouvait passer... Une déveine... Et moi, je te dis que c'était couru...* Il nous coûte cher, leur bout de zinc!... Envoyer les gens à la mort, est-ce que c'est chrétien, monsieur le Curé?

Isaïe sortit sans être remarqué. Tout à coup, il éprouvait le besoin d'être seul, en plein vent, sur la route, pour dire adieu à Servoz. Il marchait lentement vers le hameau des Vieux Garçons. Ses chaussures grinçaient dans la neige. Le soir était venu, froid et pur. Quelques étoiles brillaient au ciel. Isaïe disait:

— Adieu, Nicolas... T'en fais pas,* Nicolas...

La vapeur qui s'échappait de sa bouche lui donnait l'illusion que, par instants, une âme en peine surgissait devant lui et tournoyait, dansait un brin, avant de se dissoudre dans l'air. Il dépassa le cimetière, qui était hors du village, sur une butte, monta jusqu'à l'église, ouvrit la porte et pénétra dans l'ombre glaciale des pierres. Les bancs luisaient, polis et nus. Des dorures veillaient au fond du sanctuaire. Isaïe pria un peu, prononça encore le nom de Servoz, se signa et reprit son chemin.

Il était plus calme à présent. Comme quelqu'un qui a réglé correctement une grave affaire de famille. Déjà, son regard cherchait la maison, au plus épais de la nuit. Soudain, il aperçut une lumière. Pas de doute possible. C'était chez lui, chez eux. « Marcellin serait-il rentré? Sans passer par le café de Joseph? Sans voir personne? » Isaïe allongea le pas, puis se mit à courir, la bouche ouverte, les coudes au corps.

La porte était entrebâillée. Isaïe poussa le battant.

— Salut, Zaïe, dit Marcellin.

Il était assis devant la table et mangeait du fromage de chèvre avec du pain gris. Un journal était ouvert, à côté de lui, dans la lumière de la lampe à pétrole. A portée de sa main, il y avait aussi son dictionnaire, livre obèse et feuillu, à la couverture de papier bleu, tachée d'encre.

— Tu es déjà rentré? dit Isaïe. Je pensais que tu passerais chez Joseph, avant...

— Pour quoi faire?

— Pour parler avec les autres...

— Je n'aime pas les bavards. Ils auront beau saliver des discours,* ça ne changera rien pour Servoz. Pas vrai?

Isaïe hocha la tête en signe d'approbation. Marcellin tourna une page du journal. Il continuait à mastiquer la nourriture en lisant.

— Tu as faim? demanda Isaïe.

— Oui, j'ai faim.

— Il n'est pas l'heure.

— Je voudrais me coucher tôt.

— Parce que tu es fatigué?

— Oui.

— C'est la ville qui te lasse, dit Isaïe. Tu n'es pas fait pour.

Il s'assit devant son frère, sortit son couteau, traça un signe de croix sur le pain, coupa une tranche et la porta à sa bouche.

— Moi, je n'ai plus d'envie, reprit-il. La mort de Servoz me ruine le cœur. Tout entre et rien ne passe.

Il mâchait le pain et observait son frère à la dérobée. Penchée sur le journal, la figure de Marcellin portait les signes d'une vive contrariété. Etait-il affecté par la mort de Servoz ou par la réponse du notaire? L'anxiété se logea dans le corps d'Isaïe comme une maladie. Mais la question qu'il voulait poser se refusait à sortir de ses lèvres. Pour gagner du temps, il demanda:

— Tu as acheté un journal?

— Oui.

— Ils parlent de la mort de Servoz?

— Non. Ce sera pour demain. Tiens, regarde: une photo de l'épave, prise par le pilote qui l'a survolée, hier.

L'image était floue, mal cadrée: une pente blanche, hérissée de rochers, montait jusqu'à un fort bouchon de brume, qui masquait la cime. Çà et là, quelques taches noires, en forme d'insectes écrasés.

— Les débris de l'avion, dit Marcellin. Ou des cadavres...

— Sainte Mère! dit Isaïe.

Mais il pensait surtout à maître Petitfonds.

— Dix mètres plus haut, l'avion passait,* reprit Marcellin. Le Ministère de l'Intérieur a interdit de continuer les recherches. Il est bien temps!

— Et il venait d'où, cet avion?

— Je te l'ai déjà dit: de Calcutta. Dans les Indes.

— Où est-ce, les Indes, à peu près?

— Tu n'as qu'à voir dans le dictionnaire, dit Marcellin. Je l'ai sorti tout à l'heure, pour vérifier...

— Montre-moi, dit Isaïe.

Il s'accordait ce délai de grâce avant d'interroger son frère.

— Tu m'embêtes, grogna Marcellin. Cherche toi-même. J'ai mis un signet...

Isaïe feuilleta le dictionnaire. Les colonnes de texte et les illustrations grisâtres fouettaient son regard au passage. Il s'arrêta enfin à une page marquée par un lambeau de papier journal: « Inde ». Une large langue de terre rose pendait hors d'un continent aux côtes déchiquetées. Des lignes sinueuses, des pointillés, des ronds noirs, salissaient la surface de ce pays, comme une maladie de peau. Il lut quelques noms, au hasard: Bombay, Madras, Hyderabad, Calcutta...

— Calcutta, dit-il.

Il regardait ce point de la carte:

— C'est d'ici qu'ils sont partis?

— Oui, dit Marcellin.

— Et nous sommes à quelle distance, nous autres?

— Il faudrait voir une carte générale. Cela fait bien dix mille kilomètres, à vol d'oiseau. Le bout du monde, quoi!

— Le bout du monde.

Isaïe tourna la page. Au dos de la carte, s'étageaient des gravures de petit format, représentant quelques vues sommaires du pays: temples gainés de sculptures grimaçantes, colonnades à ciel ouvert, dieux dansants aux bras multiples, dieux accroupis au sourire songeur, éléphants sacrés, charmeurs de serpents, palais en ruine, palais neufs. Toute cette féerie entra dans les yeux d'Isaïe comme une poignée d'étincelles. Il referma le livre. La féerie s'éteignit. Derrière la porte de l'écurie, les brebis bêlaient sagement. Marcellin avait fini de manger.

— Oui, dit Isaïe. Ce n'est pas du tout comme chez nous. Est-ce qu'ils ont des églises comme les nôtres?

— Non.

— La terre est grande, soupira Isaïe.

Il se leva, versa du lait dans un verre et le but à longs traits. Le moment était venu pour lui d'interroger son frère. Encore fallait-il trouver une phrase engageante! Isaïe triait les mots dans sa tête, séparait les bons des mauvais. « Si je tarde encore, Marcellin ira se coucher. Et je ne serai pas renseigné avant demain. » Cette épreuve était au-dessus de ses forces. Il voulait savoir et il avait peur de savoir. Il se tenait au bord du gouffre. Le vide l'attirait.

— Marcellin, dit-il.

— Oui.

— Je voulais te demander... Tu as vu le notaire?...

— Je l'ai vu.

— Eh bien?

— C'est raté.

Dans le silence qui suivit, on entendit un paquet de neige qui glissait du toit.

— Pourquoi est-ce raté? demanda Isaïe.

Son cœur battait vite.

— Maître Petitfonds a téléphoné à son client.

— Ce monsieur du Nord?

— Oui, ce monsieur du Nord. Il a changé d'avis. Il achète ailleurs. Chez nous, c'est trop loin de la ville, à ce qu'il dit...

Ebranlé par la joie, Isaïe s'appuya des deux mains sur la table:

— Vrai? Il a dit ça?

Marcellin fit, du bord de la bouche, un ricanement triste et hargneux:

— Tu te régales! Il y a de quoi!*

Une expression de défaite relâcha les muscles de sa figure. Deux plis coupaient ses joues. Son menton bougeait. Il avait l'air si désemparé, si faible, qu'Isaïe eut honte de son propre bonheur. Une vague de pitié l'inclina en avant. Il posa la main sur l'épaule de son frère:

— Ne te désole pas, Marcellin, dit-il. Ça s'arrangera... Tu trouveras quelqu'un d'autre...

Et, immédiatement, il fut frappé par la notion de son inconséquence.

— Tu ne sais pas ce que tu veux, grommela Marcellin. Avant, tu refusais de vendre. Et, maintenant que j'ai manqué l'affaire, tu me dis de ne pas me décourager...

— Je ne peux pas te voir dans la peine, dit Isaïe.

Tout son être se révoltait à l'idée que Marcellin fût affligé par l'échec de son entreprise. Pour ramener le sourire sur les traits de son frère, il se sentait capable, soudain, de renoncer à son bien le plus précieux.

— Nous irons voir le notaire ensemble, reprit-il.

— A quoi bon? dit Marcellin. Je l'ai déjà prévenu. Dès qu'il aura déniché un amateur,* il me fera signe. Mais cela pourra durer des mois, des mois...

Il porta ses dix doigts devant son visage:

— J'étais sûr que ça marcherait sans accroc! J'avais tout combiné dans ma tête. Augadoux était d'accord. Content comme pas un!* Et maintenant... Ah! Je la maudis, ta maison!... Je la voudrais au diable!...

Isaïe sc signa:

— Ne fais pas de péché contre la maison, Marcellin. Avec l'aide de Dieu, tu finiras bien par la vendre.

Marcellin roulait ses poings sur son front, comme pour l'aplanir. Des hoquets de colère secouaient ses épaules:

— De bonnes paroles! Mais rien derrière! Les jours passent! Et moi, j'enrage ici! Tu m'entends?... Je deviens fou!... Reprendre du travail à la scierie, ou ailleurs?... Jamais!... Je voudrais m'en aller, m'en aller!...

Il abattit les mains à plat sur la table. Sa face apparut en pleine clarté, avec des marbrures pâles sur la peau. Le bord de ses yeux était rouge. Il dit lentement:

— Pour moi, ce n'est plus tenable...

— Calme-toi, dit Isaïe. Il y en a de plus à plaindre que nous... Les gens de l'avion... Servoz... la femme de Servoz...

— Je préférerais être à la place de Servoz qu'à la mienne, dit Marcellin. Lui maintenant, il n'a plus besoin de rien.

Il se dressa sur ses jambes et son regard fit le tour de la pièce, comme pour recenser des ennemis rangés en cercle.

— Saleté ! * dit-il. Saleté de saleté !

Il saisit le journal, le froissa en boule et donna un coup de pied dans le banc.

— Allons nous coucher, dit Isaïe. Demain tu verras clair.

— Non, dit Marcellin.

Isaïe prit la lampe à pétrole dans sa main. Dominant son frère de la tête, il se sentait fort et responsable. Un rond de lumière monta au plafond. Le fourneau recula dans l'ombre. L'un derrière l'autre, ils pénétrèrent dans la chambre. La clarté entra avec eux. Isaïe s'agenouilla entre les deux lits pour faire sa prière.

***

Allongé sur le dos, les paupières ouvertes, Isaïe entendait son frère, qui se retournait sur sa couche, soufflait et geignait sans répit. Dehors, c'était la neige, le silence, le froid. Et, à l'intérieur, la paix ne voulait pas descendre. Après tant de paroles échangées, Isaïe ne savait pas encore s'il devait être heureux d'avoir conservé la maison ou malheureux de ne pouvoir la vendre, selon le vœu de Marcellin. Balancé entre ces deux sentiments contraires, il dépérissait d'angoisse et demandait à la nuit de lui porter conseil. Ses yeux naviguaient dans le noir, ses oreilles s'emplissaient de noir, il respirait, il happait du noir à pleine bouche, à pleines narines.

— Tu dors, Zaïe? gémit Marcellin.

— J'essaye. Mais ça ne vient guère.

— Je voulais te demander une chose.

Dans l'obscurité, la voix de Marcellin était celle d'un jeune garçon tourmenté par l'insomnie. Il n'avait plus trente ans, mais vingt ans, quinze ans, peut-être. C'était bon.

— Dis toujours, murmura Isaïe.

— Tu ne crois pas que Servoz aurait mieux fait d'éviter le glacier et de passer par la face sud?

Isaïe se dressa sur un coude:

— Si, je le crois. Je n'ai pas voulu le dire, hier, chez Joseph, mais je le crois. Seulement, il était trop chargé pour varapper* de ce côté-là.

— Quelle idée d'emporter des traîneaux de sauvetage, des couvertures chaudes, un matériel de pharmacie! Il n'en avait pas besoin, puisqu'il n'y avait pas de survivants à soigner.

— On n'est jamais sûr qu'il n'y a pas de survivants à soigner. Servoz a pris toutes les précautions. C'était son devoir. Tu ne peux rien dire contre.

— Je ne dis rien contre. Et, en faisant l'aller et le retour par la face sud, pouvait-il, d'après toi, revenir au soir?

— Il le pouvait, oui. C'est deux fois plus court que par le glacier pour une cordée légère.

Un soupir, et la voix de Marcellin reprit, lointaine, comme écrasée par un tampon d'étoffe:

— Tu la connais bien, toi, la face sud?

— Je l'ai faite huit fois, peut-être.

— C'est dur?

— Oui.

— Mais c'est possible?

— Je pense.

— Même en cette saison?

— Le vent a soufflé la neige dans les couloirs. La roche doit être encore bonne, avec une petite part de verglas.

— Donc, on pourrait passer...

— Ça dépend. Servoz était si lourdement équipé!...

— Je ne parle pas pour Servoz.

— Et pour qui?

— Pour toi et moi.

— Pourquoi dis-tu : toi et moi ?

— Je voudrais qu'on monte là-haut, tous les deux.

— T'es pas malade ?

— Nous devrions aller là-bas, Isaïe !

— Qu'est-ce que tu veux faire là-bas ? Il n'y a rien à faire là-bas. Des morts, du bois cassé et des lettres. Ça peut attendre... Une caravane ira les chercher, au printemps.

— Paraît que l'avion transportait de l'or.

— De l'or ?

— Oui, de l'or pour l'Angleterre.

Isaïe toussa, se recoucha et dit :

— Faut pas croire tout ce qu'on raconte.

— Même s'il n'y avait pas d'or, Isaïe, nous aurions intérêt à tenter le coup. Les passagers avaient sûrement emporté de l'argent sur eux. Pour voyager en avion, il faut être riche.

— Qu'est-ce que ça nous fait qu'ils aient emporté de l'argent ?

— On pourrait le prendre.

— Le prendre à des morts ?

— Cela vaut mieux que de le prendre à des vivants.

— Non, Marcellin.

— Les morts n'ont pas besoin d'argent. Pour acheter quoi ? Pour payer quoi ? Leurs billets de banque, c'est la neige qui les mouille, qui les avale, qui les détruit. Et nous laissons périr cette fortune ! A supposer même que ce soit de l'argent étranger, on peut le récupérer, le changer. Et les bijoux...

— Je ne sais pas, Marcellin. Tu as sans doute raison, mais ça ne m'a pas l'air honnête.

— Et si Servoz avait empoché l'argent, tu aurais trouvé ça honnête ?

— Il n'y allait pas pour empocher l'argent, Servoz.

— Au cas que nous ne le fassions pas, un autre le fera.

— Ce sera son affaire. Un mort n'a plus de défense. On n'a le droit de le toucher que pour le laver et le porter en terre. Voilà comment je pense.

— Tu penses mal. Personne ne pourrait nous en vouloir, puisque cet argent n'appartient à personne...

— Faut le laisser là-bas.

— Ne te bute pas, Zaïe. Ecoute... Ecoute bien... Si nous trouvons cet argent, nous n'aurons plus besoin de vendre la maison. Tu te rends compte? La maison. Oui! Elle restera à nous.

— A nous?...

— Je peux te le jurer... Nous ne vendrons pas la maison. Je ne me mettrai pas avec Augadoux. J'achèterai un magasin pour moi seul, en ville. Un beau magasin. J'y descendrai tous les matins. Tu viendras avec moi, si tu veux. Et, si tu veux, tu demeureras ici, avec tes moutons. Et toutes nos soirées, nous les passerons ensemble. Tu sais que le père voulait agrandir l'écurie. Il n'a jamais pu le faire. Et nous le ferons. Nous le ferons comme le père l'a voulu. Nous agrandirons l'écurie, pour que tu puisses y loger d'autres moutons.

— D'autres moutons? Lesquels?

— Ceux que tu achèteras, avec le reste de l'argent.

— Je pourrais acheter des moutons?

— Tant que tu voudras. Au lieu d'une quinzaine de bêtes, tu en auras cinquante, cent...

— Cent bêtes?...

— Peut-être plus. Un vrai troupeau. Tu te vois à la tête d'un vrai troupeau?

Isaïe poussa un gloussement de plaisir:

— Et j'achèterai quelques béliers aussi?

— Oui.

— Ce sera bien...

— Ce sera magnifique. Tu marches sur la pente, et, derrière toi, une centaine de brebis qui trottent, qui bêlent... L'occasion ne se présentera plus... Il faut profiter...

Il y eut un silence.

— Alors, reprit Marcellin, tu te décides?...

— Je voudrais bien, mais je ne peux pas... je ne peux pas monter là-haut... Je n'ai plus ce qu'il faut dans les mains, dans la tête...

— Tu te figures ça, s'écria Marcellin, et moi je suis sûr du contraire! Ce qui te retient, c'est le souvenir de ton accident. Oublie-le, et tu redeviendras agile comme un singe.

— Ça ne s'oublie pas, Marcellin. Ça ne s'efface pas.

— Il y en a d'autres que toi qui ont dévissé. Ensuite, ils se sont remis. Et ils ont continué le métier.

— Moi, ce n'est pas pareil... J'ai eu des clients tués... On m'a opéré dans la tête...

— Si je n'avais pas confiance en toi, je ne t'aurais pas prié de me conduire là-haut. J'en connais des guides qui n'auraient pas demandé mieux! Mais c'est toi que j'ai choisi. Parce que tu es le meilleur...

— Après Servoz.

— Après Servoz, si tu veux. Avec toi, je sais que je ne risque rien. Tu as de la poigne. Tu connais chaque fissure. Tu grimpes à la verticale, sur du lisse, à croire que tu as de la colle aux doigts...*

— Ça me fait plaisir de t'entendre, Marcellin.

— Et puis, tu es mon frère. Nous ferons équipe, comme autrefois. Tu te souviens du bon temps, Zaïe?

— Oui.

— Tu marcheras devant. Et tout ce que tu m'ordonneras de faire, je le ferai. Tu pourras m'engueuler et je te dirai : merci ! Et nous passerons, nous passerons, coûte que coûte...

— Allume la lampe, Marcellin.

— Tu viendras ?

— Je ne sais pas. Je ne suis pas bien.

— Qu'as-tu ?

— C'est comme un tremblement. Cet argent, tu es sûr qu'il n'est plus à personne ?...

— Encore ! Je t'ai expliqué...

— Oui, oui... Mais j'ai peur...

— De quoi ?

— De ne pas pouvoir. Allume la lampe. Cela fait dix ans que je n'ai pas essayé. On vieillit. On se rouille. Et puis, la montagne, elle ne veut plus de moi. Et peut-être que, demain, le temps ne sera pas convenable. Allume la lampe...

— Si tu refuses, je partirai seul.

— Tu ne sais pas ce que tu dis.

— Je dis ce que je ferai, et je ferai ce que je dis. Je partirai seul.

— Que Dieu te préserve ! Tu ne peux pas partir seul, Marcellin. Tu ne connais pas la voie.

— Je me débrouillerai.

— Ce n'est pas faisable seul, Marcellin. Tu dérocheras,* dès le début. Tu te casseras les reins.

— Ça m'est égal. Si je dois continuer à vivre sans argent, je préfère crever. Je crèverai ou je réussirai. Reste ici. Moi, j'y vais. J'y vais seul. Je partirai demain, avant l'aube.

— Je ne te laisserai pas aller.

— Alors, viens avec moi. On passe ensemble, ou on tombe ensemble. C'est ainsi qu'on parle entre frères. Non ?

— Si, Marcellin. Allume la lampe.

— Tu viendras ?

— Je viendrai...

— On sortira de nuit. En cachette. Personne ne doit savoir.

— Oui, Marcellin. Allume...

Marcellin alluma la lampe. Et ils se regardèrent l'un l'autre, dans la clarté revenue, étonnés, inquiets, comme s'ils ne s'étaient encore jamais vus.

V

Isaïe se tourna sur le côté et ouvrit difficilement les paupières. Une main secouait son épaule. Une voix disait :

— Lève-toi ! Il est trois heures !

Marcellin était penché sur lui, comme un arbre au-dessus d'une rivière.

— Lève-toi !

La lampe à pétrole éclairait la chambre tiède, qui sentait le sommeil. Contre la vitre, la nuit était collée, noire et plate. Le réveille-matin piochait le temps à petits coups de bec. Isaïe frotta son visage avec ses deux mains, bâilla et s'assit sur son oreiller. Sa tête dormait encore. Il demanda :

— Qu'est-ce qui arrive ?

— Il faut partir.

— Partir ? répéta Isaïe.

Il avait oublié leur conversation de la veille. Son esprit fatigué se préparait à commencer une journée comme les autres.

— Tu ne te rappelles déjà plus ? grommela Marcellin. Ne me fais pas ce coup-là, Zaïe !

— Si, je me rappelle, dit Isaïe précipitamment.

— Ne me fais pas ce coup-là, après avoir promis. Tu as promis !

— Oui, j'ai promis.

— Qu'est-ce que tu as promis ?

Isaïe interrogeait anxieusement sa mémoire. Un

sentiment de faiblesse et de faute lui donnait envie de pleurer.

— Tu ne sais pas? Tu ne sais pas ce que tu as promis? cria Marcellin.

— Attends un peu, chuchota Isaïe. Laisse venir...

Il plissait le front. Il respirait par saccades. Tout à coup, un sourire enfantin détendit les traits de son visage:

— Ça y est, Marcellin. Je t'ai promis de faire la face sud avec toi.

— A la bonne heure! dit Marcellin. Tu te retrouves. Debout!... Debout!...

— Tu vois, dit Isaïe avec fierté, je me suis souvenu!

Ils s'habillèrent, côte à côte, sans échanger une parole: chaussettes épaisses, chaussures de montagne, guêtres en toile, gilets de laine, foulards, gants, moufles, cagoules et bonnets chauds couvrant les oreilles. Hier, avant de s'endormir, ils avaient rangé les vêtements sur deux chaises, vérifié les cordes d'attache et de rappel,* les piolets, les pitons,* les crampons,* les raquettes.* Ils avaient aussi bourré les sacs avec des tricots de réserve et de la nourriture: pain de seigle, lard et fromage. Une gourde de vin et une fiole de marc* complétaient les provisions de route.

Ils mangèrent, debout devant la table. Ces préparatifs nocturnes ramenaient Isaïe à quelques années en arrière. Il avait l'impression déconcertante de reprendre sa vie au point où il l'avait laissée avant son accident.

Après s'être restauré, il passa dans l'écurie pour donner du foin aux brebis et traire les chèvres. Les bêtes s'étonnaient d'être dérangées à cette heure indue. Engourdies de sommeil, elles bêlaient d'une voix mince. Quand elles se taisaient, Isaïe pouvait percevoir la rumeur de ruche que faisaient leurs lèvres en mastiquant le fourrage aux brins secs. Une chaleur, une odeur pacifique montait vers lui de ces corps au repos. Et, parfois, il voyait les flancs laineux osciller dans l'ombre, selon le mouvement des barques amarrées qu'effleurent les derniers plis de la houle. Accroupi parmi ses moutons, il regrettait d'avoir à les quitter pour une journée entière :

— Je reviendrai ce soir, Mounette... sans faute... Dis-leur, dis-leur bien...

Marcellin poussa la porte de l'écurie :

— Dépêche-toi ! Il ne faut plus perdre une minute, si nous voulons être à la rimaye* au lever du jour !

Isaïe transporta la seille pleine dans la cuisine, pêcha, du bout des doigts, quelques poils de chèvre qui flottaient à la surface du lait, chargea son sac sur ses épaules et alluma la petite bougie de la lanterne pliante, à panneaux de mica, qui devait l'éclairer dans sa marche.

— Alors, c'est décidé, tu ne veux pas emporter les skis ? demanda Marcellin.

— Non, dit Isaïe. La neige n'est pas épaisse sur les premières pentes. Et, au moment d'attaquer le rocher, les skis au dos gêneraient nos mouvements.

— On pourrait les laisser à la rimaye et les reprendre à notre retour...

— A quoi bon ? On sera mieux avec des raquettes...

— Toi et tes raquettes ! Personne ne pratique plus avec des raquettes ! C'est de la vieille histoire !

— Ne discute pas là-dessus, Marcellin. Les skis, c'est le goût des jeunes. Moi, chaque fois que j'ai pu, j'ai fait avec des raquettes. Tu ne me changeras pas. Laisse-moi dans mon habitude.

— C'est bon, dit Marcellin. Va pour les raquettes. Souffle la lampe, Zaïe.

Isaïe souffla la lampe, ouvrit la porte, et, suivi de son frère, entra dans le froid de la nuit. Le ciel était bas, sans failles,* sans étoiles. La brise incertaine chassait une poudre de diamant au revers des talus. Isaïe huma l'air, interrogea l'espace.

— Pas fameux, dit-il. Le vent du nord va reprendre.

Ils tournèrent le dos au village. Chaque pas les éloignait des hommes. Isaïe marchait devant, la lanterne au poing, à lentes foulées régulières. Derrière lui, il entendait la respiration de Marcellin et le bruit de ses chaussures écrasant la neige. La flamme de la bougie révélait, au hasard de ses déplacements, des vagues blanches, caillées, une pierre avec un bonnet de coton sur l'oreille, un buisson aux branches gainées de cristaux. Plus haut, sur la droite, la pente était coupée par un torrent, qui coulait, noir, entre des berges de craie. Ils le traversèrent sur une passerelle en planches. L'air était fluide, neuf, imprégné d'un parfum de roches humides.

Engagé dans ces ténèbres pures, Isaïe ne prêtait d'attention qu'à la qualité de la neige et à l'humeur du vent. La monotonie de l'effort réchauffait ses membres et détournait son esprit de la réflexion. Le silence qui régnait dans sa tête était celui qui succède à un coup de canon. Ses épaules roulaient, ses genoux pliaient, il éprouvait du plaisir à retrouver, dans son corps, la cadence des longues randonnées en montagne. Le moindre accident du terrain lui était connu. Les métamorphoses de la nuit et du gel ne trompaient pas son sens de l'orientation. Pendant deux heures environ, il avança ainsi, sans fatigue et sans hâte. Puis, le sol se haussa par degrés, se raidit, se dressa, comme un panneau que des mains pousseraient par derrière. Sous le noir léger du ciel, un noir plus dense apparut, tel un dépôt resté au fond d'une cuve : la forêt. Ils pénétrèrent dans la colonnade immobile des mélèzes. L'obscurité reculait, pas à pas, devant la lanterne. Cette faible clarté creusait un couloir et détachait, de part et d'autre du sentier, des troncs rouges et droits, qui semblaient avoir été sciés à hauteur d'homme. Une forte musculature de racines crevait le lit blanc du chemin. Des ramures craquaient au passage d'une bête invisible. De larges rayons d'ombre tournaient autour des arbres et se refermaient derrière eux, comme les branches d'un éventail aux feuillets de crêpe. Parfois, une pincée de poudre scintillante tombait de haut sur le visage d'Isaïe. Et il respirait avidement cette fraîcheur diffuse. Un peu plus loin, il fallut changer la bougie. Marcellin s'impatientait :

— Tu en mets du temps ! On dirait que tu dors debout ! Vite ! Vite !...

Ils se remirent en marche. La nouvelle bougie éclairait moins bien que la précédente. La voûte d'ombre s'était abaissée sur les mélèzes coupés court. Clignant des paupières, Isaïe se fatiguait à suivre ce défilé interminable de fantômes au garde-à-vous.

— Je croyais que ce serait moins long, dit Marcellin.

— On croit toujours ça, au moment de partir.

— Tu es sûr que nous atteindrons la rimaye vers les huit heures ?

— Sûr.

— Et moi je pense que tu te trompes.

— Comment veux-tu que je me trompe ? dit Isaïe. Pour d'autres choses, je peux me tromper. Mais pour ça, non, je ne peux pas me tromper. Je ne me trompe pas... A la rimaye, nous nous reposerons et nous casserons la croûte. Tu as faim ?

— Non, dit Marcellin.

— Il faudra tout de même manger un bout, dit Isaïe.

Un remous d'air glacé courut sur ses épaules. La fin de la forêt était proche. Une pâleur mouvante mangeait le contour des arbres. Le couloir s'élargit, s'effaça, déboucha sur un monticule de neige. Au delà de cette plate-forme, l'obscurité se fondait en brouillard. Des rideaux de tulle impalpable glissaient avec majesté dans la nuit, se croisaient, s'écartaient, se déchiraient en silence.

— On ne voit rien encore, dit Marcellin.

— Si, là-bas, dit Isaïe. Regarde bien...

Il désignait, très loin, une masse incolore, flottante, qui semblait un morceau de brume solidifiée au ras de l'horizon.

— La paroi, dit-il.

Ses yeux saillaient dans leurs orbites. Comme un somnambule tiré brusquement de son état d'inconscience, il considérait avec stupeur le lieu de son réveil.

— Qu'est-ce qui te prend? gronda Marcellin.

— Ça me fait drôle!...*

— Ne parle pas tant. Avance!

— Oui, Marcellin, oui...

Isaïe disait: oui, et ne bronchait pas. De seconde en seconde, il mesurait mieux l'insolence de son entreprise. Toute sa chair se hérissait devant la perspective de l'épreuve qu'il avait acceptée. Escalader cette paroi raide, vertigineuse, cuirassée de verglas. Et, une fois là-haut, prendre l'argent des morts... « J'aurais dû refuser. Ce matin encore, je pouvais m'opposer au départ. Mais j'avais le cerveau vide. Mes jambes marchaient toutes seules. Au-dessus, personne ne pensait... »

— Avance! Avance donc, bougre de soliveau!*

Marcellin donna un coup de poing dans le dos de son frère.

— Tu ne crois pas que nous ferions mieux de retourner, murmura Isaïe. Il est encore temps.

— Retourne si tu veux, j'irai seul.

— Seul! Comme si je pouvais te laisser aller seul!

— Vas-tu bouger, oui ou non?

Isaïe soupira et se remit en route, le corps voûté. Ce n'était pas l'amour de l'argent, mais l'amour de Marcellin, qui le guidait dans cette aventure. Il ne fallait pas que Marcellin, déçu dans son espoir de vendre la maison, fût contraint, maintenant, de renoncer à la seconde chance qui lui était offerte. Certains services ne pouvaient se refuser entre frères. Pour affermir son courage, il songea encore à l'avenir qui les attendait, si l'expédition se révélait fructueuse : « L'écurie réparée, le troupeau agrandi... » Mais rien ne prévalait contre sa tristesse et sa crainte.

A l'Orient, le ciel prenait la couleur de la cendre. Ce n'était pas encore le jour, mais une timide usure dans le tissu de la nuit. Un vent vif coula sur les lèvres d'Isaïe, comme un ruban. Derrière la débâcle des nuées, il devinait, à présent, la surface ondulée du plateau, qui montait, en pente douce, vers les premiers éboulements rocheux. La base de l'édifice était séparée du sol par un bandeau de vapeur. Au-dessus, les cimes se profilaient, côte à côte, comme découpées dans un carton noir. Isaïe s'arrêta. Il enfonçait dans la neige jusqu'aux mollets.

— Faut chausser les raquettes, dit-il.

Ils fixèrent les raquettes à leurs pieds et continuèrent à cheminer, l'un suivant l'autre, les jambes écartées, les mains passées dans les courroies de leurs sacs. Les cadres ovales, garnis d'un réseau de cordes, soulevaient à chaque foulée une gerbe de sucre fin. De trou en trou, de poussée en poussée, les deux hommes progressaient péniblement dans un univers aux lignes indécises. Les distances n'avaient plus de mesure. Le temps avait suspendu son cours. De tous côtés, les points de repère s'évanouissaient, à peine entrevus.

— Tu es sûr de ta route, Zaïe ?

— Oui, Marcellin.

Fasciné par cette blancheur et cette brume persistantes, Isaïe souhaitait qu'elles ne se dissipassent jamais. Rien de terrible ne pourrait lui advenir tant qu'il marcherait, à pas comptés, dans la neige. Dans ce pays calme, il était encore chez lui. C'était plus loin, aux premières plaques de granit, que se situait la frontière de son pouvoir.

— Souffle la lanterne, dit Marcellin. On n'en a plus besoin.

Machinalement, Isaïe s'arrêta, éteignit la bougie, plia la lanterne et glissa le tout dans une poche de son sac.

— Marche ! Marche ! Qu'attends-tu ?

Le jour approchait. La montagne approchait. Des risées couraient dans le brouillard. L'ombre des marcheurs se couchait, bleue, sur la neige. Une coulée d'acide rongeait la crasse du ciel. Isaïe baissa la tête. Il ne voulait pas voir ce qui se passait devant lui. Encore un pas, deux pas, trois pas...

— Ça vient ! dit Marcellin.

Isaïe leva les yeux et reçut le paysage en pleine figure, comme un coup de vent. Une gigantesque muraille se dressait au-dessus de la terre blanche. Tailladées d'ombres obliques, cirées de verglas, ciselées, vitrifiées, aiguisées à l'extrême, les cimes incrustaient dans l'espace leur architecture ennemie des humains. Des névés luisaient comme des éclats de porcelaine dans des nids de roches abruptes. Une dentelle aux mailles lâches pendait sur le flanc d'un pic, hérissé de redents pointus. A gauche, dominant une paroi lisse et sombre, un casque de glace éparpillait les premiers rayons du soleil. C'était là-haut qu'il fallait grimper. Dans le ciel, des éponges roses voguaient vers un petit lac de jade, qui disparut bientôt, asséché par leurs masses buveuses de lumière. D'autres monstres de vapeur, aux nageoires effilochées, se hâtaient de couvrir les derniers trous de clarté. Les courants atmosphériques brassaient, autour des sommets, une pâte amorphe, dont les filaments demeuraient accrochés aux moindres aspérités du rempart. Isaïe observait intensément ce combat silencieux, où l'air et la pierre mesuraient leurs forces. Un équilibre mystérieux s'établissait entre l'énergie qu'il avait dépensée et la beauté du spectacle dont il était le témoin. Sans doute, rien de tout cela n'aurait eu lieu en son absence. Le soleil se levait pour lui seul et, pour lui seul, les montagnes acceptaient les couleurs de l'aurore. Il était responsable, en quelque sorte, de cette création éblouissante et hostile. Il retira ses gants et se signa, sans quitter du regard les lames pétrifiées qui mordaient le ciel.

— Par où passe-t-on ? demanda Marcellin.

— Par là, dit Isaïe, en montrant, d'un coup de tête, un chaos de dalles superposées, qui se haussait vers le dôme neigeux.

Puis, avec l'index de la main droite, il dessina un itinéraire dans la paume de sa main gauche ouverte. L'ongle carré et noirci glissait sur la peau sillonnée de lignes :

— La rimaye est mauvaise... Faudra chercher moyen... Ensuite, nous tournerons à gauche... Dix mètres dans une cheminée... Je planterai des pitons pour passer le surplomb...

Marcellin ne regardait pas le rocher mais la paume de son frère. La montagne était dans la main d'Isaïe, avec ses fissures, ses replats, ses bosses et ses creux.

— Combien de temps ?

— Si tout marche bien, quatre ou cinq heures, dit Isaïe.

Et il referma sa main.

Un vide s'ouvrait au niveau de son cœur. Ses forces coulaient hors de lui dans l'espace. « Aidez-moi, mon Dieu ! Aidez-nous ! »

Ils repartirent, marchant côte à côte, pendant que les montagnes continuaient à se dévêtir de l'ombre.

VI

Une vire* enneigée coupait obliquement la paroi. Les pieds posés d'aplomb sur cette terrasse étroite, l'épaule collée à la roche, les bras pendants, Isaïe reprenait son souffle.

— Je peux monter? cria Marcellin.

Sans regarder l'abîme d'où venait la voix de son frère, Isaïe répondit:

— Attends un peu... Attends que je prépare...

Jusqu'ici, tout s'était bien passé. Pour franchir la rimaye et gravir les premiers contre-forts, Isaïe n'avait pas éprouvé le sentiment de la difficulté. De bonnes prises,* disposées à distance raisonnable, l'avaient porté, aussi sûrement que les barreaux d'une échelle, vers ce palier* qu'il connaissait dans ses moindres détails. Le vrai combat allait commencer maintenant. Levant les yeux, Isaïe considérait avec angoisse la haute plaque de pierre, dressée presque à la verticale, dont les nodosités fuyaient sous une couche de glace bleue. D'un point à l'autre, il cherchait son itinéraire en pensée. Durant l'été, certes, le passage était praticable pour un excellent grimpeur. Mais, en cette saison, la dalle gelée, aboutissant à un large surplomb, ne présentait pas un relief* suffisant pour encourager l'escalade. Instinctivement, Isaïe tourna son regard vers le bas. A la limite de ses chaussures, la plate-forme se brisait à pic, et une perspective plongeante découvrait, cent mètres au-dessous de lui, la gueule béante de la rimaye. Le temps d'un éclair, il imagina un faux pas, son corps basculant dans le vide. Un grand choc lui cassait* la colonne vertébrale. Un autre lui fendait* le crâne. Des éperons rocheux se renvoyaient* un paquet de viande battue jusqu'à l'arrêt final, au fond de la crevasse. Par le jeu d'un dédoublement étrange, il se voyait, à la fois, debout en cet endroit qu'il avait choisi et disloqué, dans une flaque de sang, au pied de la montagne.

— Tu es prêt? Je monte?

La voix de Marcellin. Il fallait agir. Isaïe passa la corde sous son aisselle gauche et sur son épaule droite, banda les muscles de son dos et dit:

— Monte.

Ses mains halaient le chanvre, lentement, pour aider la progression de son frère. Déjà, il entendait la respiration oppressée de Marcellin et le grincement de ses souliers sur le granit. Le chanvre bougeait. Le poids approchait de la surface. Des doigts d'aveugle palpèrent le bord de la vire. Le visage de Marcellin se haussa, congestionné par l'effort, puis se détourna, disparut, parce que le grimpeur avait changé la prise de ses pieds.

— Tu es bien? demanda Isaïe.

De nouveau, la tête de Marcellin émergea du vide. Ses épaules suivirent, masquant l'horizon. Un rétablissement l'amena sur la plate-forme. Il haletait, la bouche ouverte, les yeux bordés de givre:

— Jusqu'ici, ça peut aller.

— Oui, dit Isaïe.

— Tu continues par où?

Isaïe tendit la main vers la dalle gelée:

— Par là.

A son tour, Marcellin examina le passage. Une lueur d'inquiétude modifia son regard.

— Tu es sûr qu'il n'y a pas un autre chemin? dit-il.

— Il n'y en a pas d'autre, dit Isaïe.

— C'est tout lisse.

— Je sais.

— Tu pourras tenir ?

Isaïe hocha la tête sans répondre. Il pliait la corde en larges anneaux, afin qu'elle se déroulât régulièrement derrière lui. Puis, il vérifia les nœuds d'attache, assura le filin autour d'une saillie, glissa dans sa ceinture quelques pitons et le marteau-piolet.* Chacun de ces gestes, minutieusement accompli, retardait l'instant de l'épreuve.

— Si tu crois que tu pourras tenir, vas-y, dit Marcellin.

— Ne me presse pas, dit Isaïe.

Pour atteindre la première prise, il devait longer la vire, jusqu'à l'endroit où elle se perdait dans la masse rocheuse. Cinq pas à faire sur un rebord taillé en marge du néant. Le visage tourné vers le vide, Isaïe défaillait de crainte. La paroi oscillait dans son dos, comme sapée à la base. Les lignes de pente vibraient, se dédoublaient, s'inclinaient pour l'inviter à les suivre. Des fils invisibles tiraient ses genoux vers le bas. Le froid, la neige, le silence, la pierre souhaitaient sa chute. Marcellin ne le quittait pas des yeux. Au bout d'un moment, il dit :

— C'est peut-être impossible à faire, Zaïe ?

— Ce n'est pas impossible, non.

— On ne va pas se rompre le cou pour le plaisir de monter trois mètres plus haut ! Tu m'entends ?

— Je t'entends.

— Alors, qu'est-ce que tu décides ?

— Je vais essayer, murmura Isaïe.

Marcellin haussa les épaules :

— Ne fais pas l'imbécile. C'est tout ce que je te demande.

— Je ne ferai pas l'imbécile.

— Si ça ne va pas après un bout, tu redescends...

— Je redescends. Assure-moi comme je t'ai montré.

Il se tourna, face à la paroi, et, dans un effort peureux, déplaça un pied, puis l'autre. Il ne regardait pas autour de lui. Il s'interdisait de penser au vide. Et, cependant, il sentait, sur toute la surface de son corps, l'attirance vertigineuse de la profondeur.

— Tu te débrouilles? demanda Marcellin.

— Oh! oui, dit Isaïe. Ça va déjà mieux...

Un malaise pesait sur ses membres. Sans réfléchir, il avança la jambe droite. Son pied rencontra une rainure, dérapa, s'accrocha de biais à un saillant plus net. Un muscle tremblait dans son mollet. Il avala une gorgée de salive. A présent, sa main gauche glissait sur la paroi gelée, la tâtait, la caressait, comme pour l'inciter à répondre. Une fente possible. Une autre, plus loin, pour la main droite. Prises bouchées. Fatigue. Il laissa retomber ses bras et battit ses mains contre ses cuisses pour les délasser.

— C'est comment? demanda Marcellin.

— Ni oui, ni non... Il y a de bons morceaux... Mais il faut dégager les prises...

Avec le marteau-piolet, il frappa la couche verglacée pour peler la roche. Il eût aimé varier la direction des entailles, mais, dans sa position, s'il pouvait frapper haut, il lui était impossible de porter des coups en diagonale. Trois fines nervures se trouvèrent mises à nu. Pour la seconde fois, il haussa un bras et logea ses doigts dans l'encoche. Une légère traction: ça tient. Au tour de l'autre: ça tient de même. Alors, très prudemment, il souleva son pied gauche, qui prenait encore appui sur l'extrémité de la vire. Une fraction de seconde, il resta suspendu, le dos à l'abîme, par ses deux mains et son pied droit. Enfin, le pied gauche, râclant la dalle, aborda dans une fissure minuscule. Le corps d'Isaïe était crucifié sur la montagne. Sa figure s'écrasait contre le mur de granit, raboté par des siècles de vent, de soleil et de neige. Sous ses yeux s'étalait un univers granuleux, pris sous verre, une carte en relief, sillonnée de veines noirâtres, étoilée de givre. Sa bouche respirait l'haleine glacée de la pierre. Il demeura ainsi, pendant un long moment, étonné du plaisir qu'il éprouvait à se coller, de tout son poids, contre le roc. « Je ne suis pas tombé. J'ai serré dur. Comme autrefois... » Un espoir, encore incertain, donnait de la force à ses membres écartelés. Avec lenteur, poussant sur ses jambes, tirant sur ses bras, il se hissa pour chercher d'autres points d'appui. Miracle ! A peine sollicitée, la paroi offrait à ses mains les aspérités qu'elles voulaient saisir. Il taillait dans la glace squameuse, d'un gris verdâtre. Des écailles de poisson volaient autour de lui. Une encoche. Puis, une autre. La corde se déroulait correctement. Le souffle d'Isaïe s'apaisait. Son sang battait à un rythme égal. Il mettait ses moufles, les retirait, les enfilait de nouveau, pour les enlever encore aux passages difficiles. Gantées, les mains manquaient de sûreté. Nues, elles se gelaient vite et devenaient insensibles. Malgré la fatigue et le froid, il continua à grimper, par petits gestes prudents et doux.

— Comment est-ce, là-haut ? cria Marcellin.

— C'est presque tout bon, dit Isaïe.

Sa voix s'enrouait. Il avait envie de remercier quelqu'un. Une partie en surplomb avançait au-dessus de sa tête. Au delà, le cheminement était masqué. Il ne devait plus rester que trois mètres de corde à terre. La main gauche épousait fortement une grosse verrue de la pierre. Les deux pieds étaient enfoncés dans des prises trop rapprochées. « Ça ira... Il faut que ça aille... » Isaïe éloigna sa poitrine de la paroi, bomba le dos, se laissa aller en arrière, comme pour plonger à la renverse dans la vallée. Son esprit était calme. Le vertige ne le tourmentait plus. Il ouvrit sa main droite et la projeta jusqu'au rebord. Trop haut. La main revint précipitamment à son point de départ.

— Qu'est-ce qui se passe? cria Marcellin.

— Rien de grave... T'en fais pas...

Se haussant sur la pointe des chaussures, Isaïe répéta la manœuvre. Cette fois-ci, ses doigts atteignirent la lèvre du surplomb, grattèrent la couche vitrifiée, se crispèrent violemment dans des alvéoles de glace. La main gauche bondit à son tour et se figea, à côté de la main droite. Position trop allongée. Rétablissement difficile. Le froid de la pierre pénétrait dans ses paumes, gagnait le long de ses bras, emprisonnait ses épaules. C'était comme un fluide d'ombre et de mort qui remontait dans ses artères. Son corps entier trahissait la cause de la vie et passait au service de la matière inerte. D'un geste brusque, il ramena sa main droite à hauteur de son visage. Les doigts refusaient de bouger. Il les mordit, l'un après l'autre, pour les ranimer. « Encore un effort. Remettre la main à sa place. Chercher une prise intermédiaire pour le pied droit. Bon. Le pied gauche, maintenant. » Ramassé en crapaud sous le surplomb, il donna un coup de reins. Ses genoux heurtèrent la dalle. Un dernier élan le coucha, à plat ventre, sur la saillie rocheuse. Le temps de se redresser, d'aspirer une goulée d'air, et il criait:

— Tu peux venir! Je suis solide!

Quand son frère eut pris pied, à côté de lui, sur la terrasse, Isaïe fut surpris de le voir si désemparé et si las. Marcellin claquait des mâchoires. Le sang s'était retiré de ses joues. Ses paupières battaient.

— Qu'as-tu? demanda Isaïe.

— C'est... c'est ce passage, haleta Marcellin. Même avec la corde... Tu ne te rends pas compte... J'ai cru que je n'y arriverais jamais... Où va-t-on, maintenant?

La paroi, devant eux, se composait d'une série de

bosses, semblables aux remous d'un torrent, figé par le vent de l'hiver. Une fissure verticale, comblée de glace et de neige, menait à un invisible reposoir, situé cent mètres plus haut, sous le ventre même des nuages. Le ciel était lumineux, mais le passage, orienté vers l'ouest, paraissait plongé dans un crépuscule polaire. Un froid vif piquait la peau du visage. Isaïe remua les narines pour casser les aiguilles de givre qui s'étaient formées à l'intérieur de son nez. Ses lèvres aussi étaient enduites d'une carapace friable. Il tira de sa poche deux morceaux de sucre, en donna un à Marcellin, et croqua l'autre pour saliver un peu. Des brins de laine se collèrent à sa langue. Il les cracha.

— Faut attaquer la cheminée, dit-il.

— La cheminée? s'écria Marcellin. Tu ne l'as pas regardée! Une vraie glissoire!

— On n'a pas le choix.

— Le grand dièdre,* à droite, n'est pas meilleur?

— Non. Je le connais, ton grand dièdre. Cinquante mètres de prises courtes et inversées. Avec le verglas, ça ne pourra pas faire. Crois-moi, c'est la cheminée ou rien. Je sais toutes les prises, par là. Tu assureras plus sec, et voilà tout.

— On ne passera jamais! Il savait ce qu'il faisait, Servoz, quand il a décidé d'aller par le glacier!

— Je te tirerai, tu n'auras qu'à suivre.

— C'est un chemin de fous!

— Je sais ce qu'on peut et ce qu'on ne peut pas. Fais confiance. Si le temps se garde beau, nous sortirons la face, je te le promets.

Marcellin pressa ses mains contre son visage:

— Je suis crevé.

— Tu auras loisir de te reposer, tandis que je monte, dit Isaïe.

L'assurance de sa voix lui fit croire, pendant un

moment, que quelqu'un d'autre avait parlé à sa place. Il ne se reconnaissait pas dans cet homme fort et décidé, qui pliait la corde, donnait des ordres, établissait d'un seul coup d'œil le projet de l'ascension. C'était comme si un grand souffle d'air pur avait lavé l'intérieur de sa tête. Sa torpeur avait fait place à un sentiment nouveau d'allégeance* et de lucidité. Résolument, il entreprit l'escalade de la cheminée. Chaque morceau de pierre devenait son ami. La faille, d'abord large et profonde, se rétrécissait jusqu'à n'être plus qu'une fissure, bourrée de glace compacte. Isaïe tira le piolet à manche court, qu'il avait engagé dans les lanières de son sac. A coups mesurés, il taillait des encoches dans la masse gelée. Des éclats sautaient autour de lui et rebondissaient contre la paroi, avec un tintement de vitre rompue. Ebranlée par le choc, la neige coulait dans les manches de sa veste, s'infiltrait entre son foulard et son cou, mouillait sa poitrine, son ventre. Une poudre blanche l'aveuglait. Il secouait la tête, sacrait, crachait, et continuait son travail, avec une pensée de rage et de plaisir intenses. Même dégagées, les prises étaient trop sommaires. Les souliers dérapaient sur le verglas. Isaïe ne pouvait plus compter que sur ses mains pour le propulser, centimètre par centimètre, vers les hauteurs. Il remit le piolet dans son sac. Un renfoncement lui permit de coincer un genou et un bras dans la roche, pour assurer son équilibre. Autour de lui, le vide fuyait vers une confusion de pointes, de dièdres, de rayons et de brumes. Le froid rongeait son visage. Continuer? Par où? Comment? « Marcellin a raison. Ce n'est plus guère possible». Il retira ses gants, qui le gênaient dans la besogne, et se remit à ramper, griffant le verglas à pleins ongles, ramant avec ses jambes pour atteindre des aspérités qui se dérobaient sous son poids. Son cœur battait contre la pierre. Sa fatigue était telle, qu'il avait envie de vomir. Parvenu à la base d'un bombement rocheux, il se démoula* partiellement de la fissure, lâcha la prise de main droite et laissa glisser son bras le long de son corps. Ses doigts tâtonnants saisirent l'un des pitons qui pendaient à sa ceinture. Ensuite, attentif à ne pas compromettre sa position par un geste inconsidéré, il introduisit le piton dans une fente, l'enfonça en quelques coups de marteau, passa un mousqueton dans la boucle et y accrocha sa corde.

— Tends la ficelle! cria-t-il.

Le filin de chanvre, tiré par Marcellin, se raidit. Isaïe poussa un soupir de délivrance. Lié à la pointe de fer, il était en sécurité. Encore douze mètres avant le replat.* Ses mains étaient mortes. Il suça ses doigts, remit ses gants, les retira, palpa de nouveau la pierre. Un gradin, dégagé au marteau-piolet, l'aida à progresser vers le bord supérieur de la cheminée. De cette bouche, ouverte au-dessus de lui, dévalait un maigre torrent de grésil. Il planta encore un piton. L'écho se superposait au choc, avec un léger décalage. Comme si deux maillets, l'un plus gros que l'autre, eussent frappé le même bout de métal, alternativement. Plus que sept mètres. Un troisième piton pour remplacer la prise manquante. La roche était pourrie. Le piton branlait. « Bon pour une fois. »

— Où en es-tu? cria Marcellin.

— Je passe, dit Isaïe. File la corde...

Il n'avait jamais cessé d'exercer son métier de guide. Le corps n'avait rien oublié. Un peu moins de souffle que jadis, peut-être? « Ça reviendra. » Le piton, mal établi, branlait sous son pied. Des deux mains, il agrippa l'avancée de la plate-forme, d'où pendaient des langues de glace. Ses muscles se tendaient douloureusement. Une déchirure courait sous la peau de ses bras. D'un rude effort, il se propulsa vers le sommet du passage. Le piton se décrocha, battit la pierre et fila vers le bas, en cliquetant à chaque ressaut. Mais, déjà, Isaïe avait pris appui, du pied droit, sur un bloc coincé, et s'était couché, à mi-corps, en travers du surplomb. Le ventre dans la neige, il avança ainsi, creusant sa route avec ses mains, pour trouver l'assise de la terrasse. Quand il eut compris qu'elle était solide, sous son épaisse couche de poudreuse, il se redressa. Sa bouche riait. Ses yeux étaient brouillés de givre.

— A toi, Marcellin ! cria-t-il.

Pas de réponse. Un pâle soleil, chauffant les hauteurs, en détachait de menus cailloux, qui perçaient l'air avec un sifflement de balles. Le visage d'Isaïe était dans l'ombre. Mais, quand il avançait la main, un rayon de lumière oblique allumait des cristaux sur ses moufles croûteuses. La chute des pierres s'arrêta.

— Je te dis, à toi ! répéta Isaïe.

— Oui, oui, voilà, dit une voix indécise.

Arc-bouté sur son piédestal, Isaïe sentait la corde, qui tantôt mollissait et tantôt se raidissait dans ses mains. La présence de son frère tremblait dans le filin durci par le gel. Ce brin de chanvre câblé, c'était Marcellin. Marcellin qui montait le long de la cheminée. La tête inclinée vers le vide, Isaïe hurla :

— Va doucement !... Coince l'avant-bras en verrou... Bon... Avance la main gauche... Tu as une bonne prise...

— Je ne vois pas...

— Mais si !... A hauteur de tête... Pas celle-ci... l'autre... Bon... Tu y es ?... Continue sans te presser...

— Tu me tiens bien ?

— Oui... Tu n'as rien à craindre...

— Ne tire pas tant !... La bretelle de mon sac s'est accrochée !... Tire maintenant ! Tire !... Tire donc !...

— Tu aperçois le piton ?...

— J'ai les mains gelées, Zaïe!... Je ne sais plus comment me tenir... Je prends la crampe...

— Tâche un peu... Ce n'est plus long...

Il avait l'impression de haler son frère autant par la voix que par la corde, autant par l'âme que par le corps. Un arrêt.

— Qu'y a-t-il? cria Isaïe.

— La corde s'est coincée, gémit Marcellin.

— Où?

— Entre toi et le piton. Donne du mou.

— Je veux bien donner du mou, si tu es solide.

— Je suis solide. Vas-y.

Isaïe imprima de larges ondulations à la corde, qui bondit sur le rocher, s'allongea et se décoinça en sifflant. Au même instant, un cri étranglé monta de l'abîme. Isaïe se jeta en arrière. Marcellin, déséquilibré par le poids de son sac, avait lâché prise. La corde, tirée vers le bas, filait avec une rapidité prodigieuse. D'une seconde à l'autre, Isaïe allait être arraché du surplomb, aspiré par le vide, écrasé contre le piton de fer. Le chanvre glissait entre ses mains crispées. Les vieux gants craquaient, se déchiraient. Une brûlure atroce mordait la peau nue. Isaïe serrait à pleins doigts ce reptile de feu. Il l'étranglait de toutes ses forces. Arrêter la corde. Tuer la corde. Déjà, elle courait moins vite. Soudain, elle s'immobilisa. Des effilochures rougeâtres la marquaient sur une bonne longueur.

— Dieu de Dieu! dit Isaïe.

Son cœur battait dans sa bouche. Ses mains flambaient. Ayant repris son souffle, il cria:

— Marcellin!

Silence. Une terreur subite comprima le ventre d'Isaïe. Il répéta, plus fort:

— Marcellin! Marcellin!...

En bas, il y eut un faible remue-ménage, et la voix de Marcellin retentit, nouée par la peur.

— Je suis là, Zaïe.

— Tu n'as pas de mal?

— Je suis vidé...*

— Je te demande si tu n'as pas de mal!...

— Je ne crois pas... Je ne sais pas... Je suis vidé...

— Tu t'es bien raccroché, au moins?

— Oui.

— Est-ce que tu peux monter?

— Non... J'ai pas la force...

— Alors, c'est moi qui vais te monter... Aide-toi, juste ce qu'il faut...

Isaïe se mit à tirer la corde. Ses mains, labourées jusqu'au sang, se collaient au chanvre. Un mal précis rongeait sa chair, traversait ses muscles, pénétrait dans ses os par saccades. Les yeux clos, les mâchoires soudées, il titubait de souffrance et de bonheur: «Je l'ai retenu. La peau arrachée, mais je l'ai retenu. Moi, Zaïe! Si seulement il pouvait s'aider davantage!...»

— Tire! Tire, Zaïe! Pourquoi t'arrêtes-tu?

Il n'y avait pas de fin à son supplice. Un ordre supérieur le condamnait, pour l'éternité, à sortir du gouffre ce poisson énorme qu'était son frère. Main sur main. Douleur sur douleur. La corde mollit. Une ombre couronna le surplomb. Isaïe ouvrit les yeux, lâcha la corde. Marcellin se tenait devant lui. Livide, la joue égratignée, la bouche béante sur un bout de langue qui tremblait:

— Quand tu as décoincé la corde, j'ai reçu la vibration... J'ai été surpris... J'ai fait un mouvement... Mon sac m'a entraîné en arrière...

Des molécules scintillantes dansaient devant les prunelles d'Isaïe. Il redouta un étourdissement.

— Tu me passeras ton sac, dit-il d'une voix rompue.

— Avec ou sans sac, je ne pourrai plus monter! cria Marcellin. J'ai compris... Dix mètres de chute... Un peu plus, et j'y restais... Je veux descendre!... Descendons!... Descends-moi, Isaïe!...

Brusquement, des sanglots sautèrent dans sa gorge. Ses yeux se chargeaient d'un reflet misérable. Un mouvement spasmodique agitait ses lèvres où se voyaient des gerçures de sang.

— Descends-moi tout de suite!

— Ce ne sera pas facile, dit Isaïe.

— Je m'en fous! * glapit Marcellin. Je ne veux pas claquer ici. Descends-moi.

— Dommage.

— Pourquoi?

— Parce que le plus dur est fait. Encore une heure et demie, et on sort. L'arête est bonne. On serait au sommet pour midi. Bois une goutte pour te remettre.

Marcellin prit la fiole que lui tendait son frère et avala une lampée de marc. Un flot de sang monta à ses joues. Son visage bougeait, comme tiré par des ficelles, dans tous les sens. Mais il ne parlait plus. Il réfléchissait. Sa respiration était sifflante.

— Evidemment, rien ne nous oblige, reprit Isaïe. On fera comme tu voudras. Mais, arrivés là où nous sommes, ce serait pitié de rebrousser chemin.

Marcellin lui rendit la fiole à demi vide. Isaïe la rangea dans son sac.

— Tu es sûr que c'est bon, à partir d'ici? demanda Marcellin.

— Si je n'étais pas sûr, je ne te le dirais pas.

Tout en parlant, Isaïe regardait ses mains souillées de sang. Des fourmis couraient sur la chair de ses paumes ouvertes. Sa langue remuait un goût de fièvre. Pourtant, grâce au froid, qui était très vif, le plus profond du mal se laissait oublier.

— Dieu a veillé, dit-il encore.

Il y eut un silence.

— Tu t'es blessé? demanda Marcellin.

— Un peu.

— Alors, tu ne pourras plus tenir la corde?

— T'occupe pas de ça.

— Tu ne pourras plus m'assurer?

— Si, Marcellin. Je t'assurerai. Je te monterai comme on tire un poids, s'il le faut.

— Tu le dis sans penser à rien, comme toujours.

— Je le dis et je le pense. Et puis, il ne reste plus guère de rocher devant nous. C'est la fin des cailloux. Regarde...

— Une heure et demie, murmura Marcellin, comme se parlant à lui-même.

Sa figure était devenue raisonnable. Une lueur vive brilla dans ses yeux.

— Si c'est comme ça, on pourrait voir, dit-il enfin.

— C'est comme ça.

— Autrement, tu me redescends?

— Oui.

— Je voudrais souffler* d'abord, poser mon sac.

— Pose ton sac. Je le prendrai tout à l'heure.

Marcellin décrocha son sac et le jeta dans la neige. La brume noyait le pays d'en bas. Les montagnes étaient silencieuses. Partout, la glace tenait la pierre. Isaïe tira un piton de sa ceinture, choisit un endroit convenable, en haut et à gauche, et enfonça la pointe dans la roche, à coups de marteau. Puis, il coupa un bout de corde et le passa dans la boucle pour former un anneau de rappel:*

— Toujours ça de fait pour la descente.

— Tu n'as quand même pas équipé tout le passage? demanda Marcellin.

— J'ai fait comme j'ai pu... Au mieux de l'occasion... Ça te va?...

— Ça me va

— Je suis content que tu sois d'accord, dit Isaïe.

Il hésita et ajouta à voix basse :

— Tu sais, je peux le dire, c'est une belle course... Une première hivernale,* ou je ne m'y connais pas!... Et on l'aura faite ensemble, toi et moi... En équipe... En frères... C'est du plaisir pour la vie, ça!...

Marcellin feignit de n'avoir rien entendu. Une morve gelée pendait à son nez comme une stalactite. Isaïe enveloppa son frère d'un regard de tendresse. A ce niveau de haute solitude, l'existence était belle sans raison. Le bonheur n'avait pas de cause. Tout était clair et sûr, sans qu'il fût possible d'expliquer pourquoi. Le froid montait. La lumière tournait. Un coup de vent souleva jusqu'à ce lieu perdu la rumeur douce de la vallée. Il y eut dans l'air des tintements lointains de clochettes et de marteaux. Cela vibrait autour des oreilles comme un essaim de guêpes. Puis, le bruit hésita, baissa, retourna chez lui, dans les plaines, sur les routes, aux abords des maisons cachées. Timidement, Isaïe toucha l'épaule de son frère :

— Marcellin! Marcellin!

— Quoi?

Isaïe cligna de l'œil :

— J'ai idée que ce ne sera pas notre dernière course ensemble!...

***

Il leur fallut encore trois quarts d'heure d'escalade malaisée, sur la paroi enduite de verglas, pour atteindre une terrasse assez large, modelée en demi-cercle. Là, sans perdre de temps, ils lacèrent les crampons aux chaussures. A cinq mètres au-dessus d'eux, un surplomb gelé avançait dans le vide. Un robuste éperon de glace, enraciné dans la plate-forme, soutenait cet auvent à la façon d'une béquille. Entre la roche grise et la colonne de cristal, un boyau obscur conduisait verticalement au couvercle. Isaïe s'inséra dans le passage. Un mouvement trop brusque de sa part pouvait suffire à ébranler la borne et à précipiter sur lui la corniche. Afin de ménager ce contrefort instable, il fallait éviter de s'appuyer contre lui. Coller à la pierre. Tailler dans le verglas. Le piolet n'avait pas assez de jeu. A chaque geste, Isaïe heurtait de l'épaule ou du coude le pilier extérieur, lisse comme un miroir. La cheminée allait en s'évasant. Pour se tenir, il dut creuser une marche dans le pan de glace. Jambes écartées, le pied droit grippant sur ce gradin de verre friable, le pied gauche poussé à demi dans un sillon rocheux, il leva la tête. Un toit blanc coiffait le couloir. Quelles étaient son épaisseur, sa consistance? A bras tendu, Isaïe piqua le piolet dans la masse compacte.

— Dur comme un ciment! gémit-il.

Pourtant, il continua à frapper. Des copeaux étincelants bondissaient sous le choc du fer. Parfois, une plaque, mince comme une vitre, filait vers le bas en sifflant.

— Gare! criait Isaïe.

Et il reprenait son ouvrage, avec des « hans » de bûcheron. Soudain, un ruisseau de poudre grise coula sur sa figure. De la neige! De la neige dure, certes, mais plus de glace! Une bizarre fatigue visuelle éprouvait Isaïe jusqu'à l'écœurement. Il dit:

— Assure-moi de ton mieux, Marcellin.

— Tu flanches?

— Non. Mais il faut prévoir...

Il se remit à piocher le plafond. Enfin, le piolet, manié avec rage, traversa la couche supérieure. Par le trou, Isaïe aperçut un rond de lumière pâle.

— Je vois le ciel ! hurla-t-il.

D'autres trous étoilèrent bientôt la surface de couverture. Des torrents de neige irisée dévalaient par les orifices du crible. A longs coups latéraux, Isaïe réunissait toutes ces petites bouches, qui soufflaient la clarté et le froid. Il s'ébrouait sous une douche de grésil. Il haletait :

— Patiente un peu ! J'arrondis la brèche et on passe !

Quand la lucarne fut assez large, il se hissa par tractions prudentes, prit appui sur une margelle de glace, et émergea à l'air libre, de l'autre côté du toit. Tiré à la force des poignets, Marcellin n'eut pas de mal à rejoindre son frère. Ils ne dirent pas un mot en se retrouvant. Devant eux, le paysage avait changé. Plus de roches, mais une pente livide, unie, menant à une arête dont le vent balayait l'échine.

VII

Ils mangèrent en hâte, assis sur leurs sacs, dans un creux de neige abrité de la bourrasque. Leurs mâchoires étaient douloureuses. La salive manquait dans leur bouche. Le fromage et le pain étaient durs comme de la corne. Le lard ne glissait pas. Le vin avait un goût de fer. Quand ils se remirent en marche, une couche de brouillard jaunâtre séparait le sommet du reste de la terre. Les deux hommes se trouvaient sur un îlot de glace, bordé par des flots de vapeur, qui moutonnaient à l'infini. Au-dessus d'eux, le ciel s'était couvert, à cinq mille,* d'une longue traînée laiteuse. Mais, entre ces deux nappes opaques, l'atmosphère était encore calme. Des effilochures de coton flottaient dans l'espace, aspirées par des courants d'air ascendants.

— Ça se gâte, dit Isaïe. Si jamais la cime se coiffe, nous aurons du mal.

Marcellin était trop essoufflé pour répondre. Les raquettes aux pieds, il suivait son frère, en titubant, le long de la pente neigeuse. La cime était devant eux, toute proche, irréelle pourtant dans sa simplicité. Deux glacis blancs, scellés l'un à l'autre. Un triangle nu. L'extrême pointe du monde, face à l'abîme d'en haut. De là, on devait pouvoir toucher le ciel avec la main. Fasciné par cette vision monotone, Isaïe marchait avec puissance, le corps incliné sous le poids des deux sacs, la face cuite de froid. Il éprouvait une allégresse de conquête à imprimer ses pas dans le sol intact. Tout était neuf à portée de ses yeux. Sa tête montait par degrés vers la perfection d'un oubli total. Personne ne savait qu'il se trouvait ici avec son frère. S'ils avaient été les deux derniers hommes vivants sur la terre, leur solitude n'eût pas été plus terrible, ni plus exaltante. « Pourvu que tout aille vite à la descente ! Nous reviendrons par le même passage. J'ai bien placé mes pitons. Cela facilitera les rappels. Dans une heure, il faudra rebrousser chemin. » Il entendit Marcellin qui trébuchait, jurait, tombait dans la neige.

— Debout, Marcellin ! On arrive !

Il l'aida à se relever. Marcellin avait un regard stupide. Le vent collait la cagoule sur sa joue Des piquants de givre hérissaient le pourtour de sa bouche.

— Je peux plus, dit-il dans un souffle. Je peux plus...

Pourtant, après avoir repris sa respiration, il se mit de nouveau dans la trace de son frère.

Ils atteignirent le sommet, au moment où le soleil sortait des nuées. Il y eut un bref incendie de cristaux sur la neige. Puis, la lumière se dilua dans un jus grisâtre. La blancheur du sol s'éteignit. Debout sur la plate-forme, Isaïe regardait, au loin, les dentelures des autres montagnes, semblables à des récifs battus par une mer crémeuse. Un sentiment de triomphe dilatait sa poitrine. Il respirait sa récompense. Il avait envie de parler, et il ne trouvait pas de mots assez forts pour exprimer sa joie.

— Voilà, dit-il enfin, nous y sommes.

Accroupi sur un rouleau de cordes, Marcellin se contenta de pousser un grognement enroué. Visiblement, son seul souci était de réparer ses forces. Insensible à la majesté du décor, il concentrait toute son attention audedans de lui-même. Un peu plus tard, il se leva, étira ses bras, plia ses genoux. Sa figure, anéantie par la fatigue, s'anima soudain. On eût dit qu'une flamme s'était allumée derrière l'écran de sa peau.

— Tu as récupéré? demanda Isaïe.

— Oui, dit Marcellin. Ça va mieux. Maintenant, il faut descendre l'autre versant.

— Ce n'est pas nécessaire.

— Comment veux-tu faire autrement? Nous n'en sommes pas très loin, d'après ce qu'ils disent dans les journaux. Seulement, on ne voit rien d'ici. A cause de l'épaulement.

— De quoi parles-tu?

— De l'avion, parbleu! dit Marcellin.

Isaïe frémit sous le choc. Pris par l'effort de la montée, il avait perdu de vue l'objectif de leur expédition. Dans son esprit fatigué, l'ambition d'atteindre le sommet avait effacé, peu à peu, les considérations accessoires. Il croyait avoir accompli une belle course et, en quelques mots, Marcellin lui gâchait son plaisir. Il murmura:

— L'avion, oui... bien sûr.. tu tiens beaucoup à pousser jusque-là?

— Pourquoi donc aurais-je risqué ma peau? s'écria Marcellin. Secoue-toi! Il faut y aller!...

— Ne te fâche pas, dit Isaïe. Nous irons...

Tout devenait laid et boueux dans sa tête. Il n'osait plus être fier d'avoir surmonté sa crainte, d'avoir déjoué les périls, d'avoir tracé sa route, sans faillir, jusqu'au bout, puisque cette longue addition de peines devait recevoir un salaire arraché aux poches des morts. Eclairés par cette évidence, les moments les plus graves, les plus dangereux de l'ascension prenaient une signification misérable. Le paysage même perdait de sa grandeur et de son mystère, comme si la pensée des hommes en eût sali le dessin. Isaïe aurait voulu avoir le courage de s'opposer à la décision de son frère. Mais, ayant promis de seconder Marcellin dans son entreprise, il ne pouvait pas se dédire sans le pousser aux limites de la colère et du désespoir.

— Je passe devant, dit Marcellin.

Isaïe chargea les sacs sur son dos et suivit son frère, qui, fouetté par le vent, oscillait à chaque pas. « Peut-être s'est-il trompé? Il ne trouvera pas l'avion. Il se lassera de le chercher. Et nous repartirons bredouilles. Faites qu'il en soit ainsi, mon Dieu! C'est facile pour vous.» La pente, assez douce, aboutissait à un talus glacé, qu'il fallut gravir. Marcellin piquait son piolet dans la paroi compacte et s'élevait, sans à-coups, le long du manche. Il semblait que l'impatience d'arriver au but décuplât sa science et son énergie. Ayant franchi cet obstacle secondaire, il se lança de nouveau dans la descente. Seule touche noire dans un désert blanc, il avançait avec une lenteur têtue, infatigable. Un nuage de grésil auréolait sa silhouette courte. Isaïe le rejoignit et cria:

— Tu es sûr que ce soit par là, Marcellin?

— Sûr! Tu as bien vu la photo!

Des rafales de neige sèche les frappaient au visage. Leurs yeux ne distinguaient rien au delà de ce tournoiement de moucherons argentés. Soudain, Marcellin s'arrêta, le bras tendu:

— Droit devant nous! Regarde!

Isaïe cligna des paupières. A quelques mètres, en contrebas, des taches sombres, aux contours indécis, crevaient, par endroits, la masse farineuse d'une combe. C'était pitié de voir une si belle neige en deuil!

— L'avion! hurla Marcellin. C'est lui!

Il voulut courir. Mais ses pieds enfonçaient dans la neige, malgré les raquettes. Avec des mouvements d'enlisé furieux, il levait haut ses jambes, l'une après l'autre, trébuchait, se redressait, avançait encore. Isaïe était resté sur place, comme vidé subitement de tout réflexe et de toute pensée. Une horreur triste l'écrasait. Il avait honte pour lui-même et pour son frère. Enfin, il se mit à marcher, lourdement, vers les débris.

Il n'avait jamais vu un avion de près. Celui-ci était de dimensions énormes. Trop grand pour les hommes. Trop lourd pour le ciel. Déchiqueté, rompu, il gisait sur le ventre, dans la neige, telle une bête blessée à mort. Le nez de l'appareil s'était aplati contre un butoir rocheux. L'une des ailes, arrachée, avait dû glisser le long de la pente. L'autre n'était plus qu'un moignon absurde, dressé, sans force, vers le cicl. La queue s'était détachée du corps, comme celle d'un poisson pourri. Deux larges trous béants, ouverts dans le fuselage, livraient à l'air des entrailles de tôles disloquées, de cuirs lacérés et de fers tordus. Une housse de poudre blanche coiffait les parties supérieures de l'épave. Par contraste, les flancs nus et gris, labourés, souillés de traînées d'huile, paraissaient encore plus sales. La neige avait bu l'essence des réservoirs crevés. Des traces d'hémorragie entouraient la carcasse. Le gel tirait la peau des flaques noires. Même mort, l'avion n'était pas chez lui dans la montagne. Tombé du ciel dans une contrée de solitude vierge, il choquait la pensée comme une erreur dans le calcul des siècles. Au lieu d'avancer dans l'espace, il avait reculé dans le temps. Construit pour aller de Calcutta à Londres, il s'était éloigné du monde d'aujourd'hui pour aboutir à un coin de planète, qui vivait selon une règle vieille de cent mille ans.

A quelques pas de l'appareil échoué, Isaïe tâchait d'imaginer l'accident. Comment était-ce arrivé? Quelles puissances obscures avaient conduit ces destins jusqu'à l'endroit prévu de toute éternité pour leur naufrage? Pourquoi Dieu avait-il voulu que ces hommes et ces femmes, partis des Indes, périssent sur la plus haute cime d'un pays qui leur était étranger? L'avion avait dû cogner la pente comme un soc de charrue. Sans culbuter, il avait continué à glisser sur le ventre, brisant ses ailes, ses hélices, son fuselage, et projetant, par les blessures de ses flancs, des passagers aux membres rompus et aux faces ensanglantées. Et, ce soir-là, lui, Zaïe, songeait à ses moutons qui broutaient l'herbe dans les hauts pâturages. Et le père Joseph versait à boire. Et Marie Lavalloud sortait de chez elle, sa hotte sur le dos. De lentes fumées s'élevaient des toits aux ancelles déteintes. Le lait caillait dans les chaudrons de cuivre. M. le Curé rentrait au presbytère sans se douter de rien. A force de réfléchir à ces choses démesurées, Isaïe se sentait sur le point de perdre la raison. Le vent chassait devant ses yeux des draperies de brume folle. Le décor dansait, derrière une résille de points blancs. Çà et là, à de grandes distances de l'épave, des bosses grises, frangées de noir, signalaient seules la présence des cadavres éjectés par le choc. Penché sur l'une de ces masses informes, Marcellin la dégageait péniblement de la neige. Une main crispée. Un pied. Un morceau de figure. Le vivant fouillait les vêtements du mort.

— Laisse ça ! hurla Isaïe.

Marcellin se redressa. Quelque chose brillait dans le creux de sa main. Une montre? Une bague? Il s'éloigna, hésita, se baissa devant une autre tombe blanche. La neige était pleine de cadeaux étranges: appareils photographiques, paquets de cigarettes, jumelles, écharpes, serviettes en cuir. Marcellin prenait le bon, laissait le mauvais. Il donna un coup de pied dans un gisement de boîtes de conserve. Puis, il amena à lui un sac en toile, plissé, percé, d'où s'échappa aussitôt un ruisseau d'enveloppes plates, aux timbres multicolores. Le vent chassait les lettres au ras du sol.

— Laisse ça, reprit Isaïe d'une voix plus faible.

Une lettre s'était engluée dans la neige, à ses pieds.

L'encre de l'adresse était détrempée. Isaïe n'osait pas se baisser pour prendre ce pli marqué d'une écriture pâle. Comme à travers les voiles fuligineux d'un cauchemar, il voyait l'ombre de son frère, errant entre des dépouilles raidies par le froid, creusant des trous, soulevant des fragments de statue, raflant le butin dans des nids d'étoffes en loques, de chair inerte et de sang caillé. Certains cadavres devaient être atrocement mutilés, car, parfois, Marcellin tirait du néant un tronçon de forme oblongue — bras ou jambe, — et le jetait aussitôt loin de lui, telle une bûche.

— Dieu lui pardonne! murmura Isaïe. Dieu nous pardonne!...

Une bouffée de neige lui emplit la bouche. Vacillant sur ses jambes, il cria:

— Marcellin! Va-t'en de là! Je ne peux plus te voir faire! Il faut qu'on s'en retourne!

Il voulait courir vers son frère, et il ne pouvait pas bouger. Cloué au sol, le cœur malade, il répétait:

— Il faut qu'on s'en retourne, je t'assure!

— Non! dit Marcellin. Je n'ai pas fini.

— Tu as assez pris comme ça!...

— Rien que des bricoles. Le mieux doit être à l'intérieur.

— N'y va pas!

— S'ils transportaient de l'or, comme on dit, il faudra bien le trouver!

— Ce n'est pas à nous! Tu n'as pas le droit! Si tu le fais, tu fâcheras le ciel!

— Vas-tu te taire? glapit Marcellin.

Le vent emporta sa voix. Courbé pour lutter contre la rafale, il se poussa, de toutes ses forces, vers l'avion. Sur sa hanche, une musette rebondie attestait l'importance de la récolte. Deux appareils photographiques et une paire de jumelles pendaient à des courroies en travers de son épaule. Tout en marchant, il enfonçait encore quelque chose, à pleine main, dans une poche de son pantalon. Derrière lui, s'étendait un champ de morts, privés de leurs linceuls. « La neige les couvrira de nouveau, pensa Isaïe. Après nous, ils reprendront leur sommeil. Peut-être ai-je tort de croire que nous les avons offensés? » Il se disait cela pour calmer la crainte sacrée qui pénétrait son corps. Un tremblement montait en lui, dont il ne savait pas se rendre maître.

Marcellin s'était approché de l'épave. Il enjamba un panneau déchiré et s'engouffra dans la tête du monstre. Isaïe commença à compter, machinalement:

— Un, deux, trois, quatre, cinq...

Marcellin reparut bientôt et cria:

— Impossible de rien dégager... C'est le poste de pilotage... Tout est sens dessus dessous... Une vraie bouillie!...

— Je te le disais bien! gémit Isaïe. C'est inutile! Il n'y a pas d'or!... Je te jure qu'il n'y a pas d'or!... Pourquoi y aurait-il de l'or?...

— Je vais tout de même voir ailleurs.

— Où, ailleurs?

— Dans un autre trou... Vers le centre.. par là!...

— Même s'il y avait de l'or, comment le trouverais-tu? Il faudrait des jours et des jours pour déblayer. On n'est pas outillés pour l'ouvrage. Surtout, on n'a pas le temps!...

— Encore un coup d'œil et on s'en va...

Marcellin se déplaça, par courtes enjambées, les genoux fléchis, et disparut dans la brèche principale, située au milieu du fuselage. Resté seul pour la seconde fois, Isaïe eut encore plus peur. L'ouragan faisait bouger des lambeaux d'étoffe au revers des buttes neigeuses. Tout le pré bossu semblait agité d'un mouvement vague, ondoyant et hideux. Une tôle vibra, imitant le bruit de tonnerre. Des frissons sonores parcouraient la carcasse de l'appareil. Isaïe crut que, d'une minute à l'autre, les moteurs allaient se remettre en marche. Alors, tous les passagers, émergeant de la neige, se dresseraient sur le flanc de la montagne et se dirigeraient, à pas lents, vers l'avion fantôme. Les uns seraient sans tête. Et les autres sans bras. Et d'autres encore sauteraient sur un pied, comme des corbeaux à la patte cassée : « Où est mon portefeuille ? Où est ma montre ? Où est ma bague ? » Un cri d'angoisse éclata dans la gorge d'Isaïe :

— Non ! Non !

Au même instant, la silhouette de Marcellin se dégagea des décombres. Il fit quelques foulées dans la neige, chancela et s'arrêta devant Isaïe, comme s'il eût rencontré un mur. Ses yeux avaient une expression animale. Sa mâchoire pendait. L'épouvante sortait de sa bouche. Il haleta :

— Zaïe... Zaïe !...

— Quoi ?

— Dans l'avion... On a bougé...

Isaïe joignit les mains et les éleva à hauteur de ses lèvres.

— C'est le vent, balbutia-t-il. Tu as cru... Mais c'est le vent...

— Non... J'ai vu... J'en suis sûr... On a bougé...

— Qu'est-ce qui a bougé ?

— Je ne sais pas...

Isaïe écoutait avec un sentiment de surprise exténuée. Les paroles venaient à lui d'une autre rive, d'un autre monde, à travers le murmure sifflant de la neige. Il dénoua les liens qui fixaient les raquettes à ses pieds. Une piètre lueur flottait dans sa cervelle. Il chuchota :

— Reste ici.

— Que veux-tu faire ?

— Voir si tu as dit vrai...

A son tour, il s'avança vers l'épave. La brèche aux bords hachurés s'ouvrait devant lui, comme l'entrée d'une grotte. Il pénétra dans le fuselage et s'immobilisa, saisi par la vision d'un chaos dormant. Un jour blafard coulait par les larges trous de la coque. Des sièges arrachés encombraient le passage. Du plafond pendaient des barres coudées, avec un lambeau de tissu au bout. Les parois étaient marquées d'éclaboussures sombres. La plupart des voyageurs avaient dû être jetés dehors au moment de la collision. Cependant, une main, pâle et propre, était restée collée à une tablette, qui avait résisté au choc. Tout au fond du bâti central, deux jambes, gainées de pantalons gris rayés, se dressaient au-dessus d'un rempart de caisses. Le cadavre anonyme faisait les pieds au mur.* Il y avait aussi, un peu partout, des chapeaux, des sacs à main, des valises éventrées, vomissant leur contenu de flacons et de lingerie. Une pellicule de grésil, douce comme un duvet, recouvrait ces restes épars. Marchant sur des débris de verre, Isaïe s'apprêtait à franchir une barricade de fauteuils renversés, quand une faible plainte arrêta son élan. Il recula d'un bond, comme s'il eût heurté quelqu'un sans le vouloir. Son cœur cognait à coups redoublés contre ses côtes. L'air manquait à ses poumons. La plainte continuait, monotone, lamentable, humaine. Cela venait de tout près. Cela rampait au ras du sol, comme une fumée. Cela montait le long des genoux. Isaïe fléchit les jarrets et pencha le buste en avant. Deux dossiers de cuir, inclinés l'un vers l'autre, formaient une guérite. A l'intérieur de cette niche, reposait un paquet d'étoffes et de fourrures, qui geignait et remuait pauvrement. Sans doute, l'unique rescapé de la catastrophe s'était-il traîné jusqu'à ce coin pour s'abriter du froid? Depuis quatre jours, gelé, affamé, blessé, il luttait inconsciemment contre la mort. Isaïe allongea les bras, palpa le corps, le saisit, le tira vers la lumière. Puis, il ôta ses moufles, ses gants, et dénoua le gros foulard de laine grise qui entourait le visage de l'inconnu.

— Une femme ! dit-il à voix basse.

Il n'avait jamais vu une femme pareille. La peau de ses joues avait la couleur mate du café au lait. De longs cils soyeux bordaient ses paupières closes. Dans sa narine gauche était incrustée une minuscule pastille d'or ciselé. Un pli se creusait entre ses sourcils. Elle respirait avec difficulté. Ses lèvres s'entr'ouvrirent sur une lame de nacre. Elle était belle. Elle venait des Indes. Elle allait peut-être mourir. Isaïe ne savait comment lui parler. Il demanda :

— Vous êtes blessée ?

Les yeux fermés, elle ne semblait pas l'entendre. Il se déchargea de son sac, l'ouvrit, en tira la fiole de marc. De son bras gauche, passé derrière les épaules de la femme, il la soulevait avec précaution. En même temps, il appliquait le goulot en métal contre les lèvres mauves et molles. Un ruisseau d'alcool coula sur le menton. Elle avala une gorgée de liquide, malgré elle. Ses paupières frémirent, se levèrent sur les prunelles larges et noires, bombées et douces, comme celles d'un petit cheval. Un regard luisant frappa Isaïe en pleine figure. Il marmonna :

— C'est moi !... Faut pas avoir peur !... On vous sortira de là !...

Il la dévisageait avec angoisse. Il la suppliait de vivre. Mais elle referma les paupières, laissa retomber la tête et se remit à gémir. Alors, il lui caressa le visage avec ses gros doigts rudes et gourds, aux ongles rognés. Le pli, entre les sourcils, ne s'effaçait pas. On eût dit un signe gravé dans la peau. Isaïe pétrissait le front, les joues de la femme, pour la tirer de sa mortelle somnolence. Il la secouait. Il l'appelait à voix haute:

— Vous m'entendez?

Elle se taisait. Ses longs cheveux noirs croulaient en désordre dans son cou. Un peu de sang sec collait des mèches sur sa tempe droite. Une plaie superficielle. Le nez était encore luisant. Bon signe. Comme elle tardait à réagir, il la débarrassa des hardes disparates qui l'enveloppaient: trois manteaux de fourrure, deux plaids de laine, un imperméable, des châles tricotés. Elle avait dû rafler le tout dans l'avion, pour se couvrir. Dégagée de cette gangue* épaisse, elle apparut toute petite, recroquevillée sur elle-même, comme une enfant. Un voile de soie violette, liséré d'or, pendait sur sa tunique blanche, souillée de sang et de cambouis. Elle portait des bracelets d'argent fin aux chevilles et aux poignets. Sa poitrine, qu'Isaïe palpa à travers le tissu léger, était ferme et à peine vivante. Le cœur battait à un rythme trop lent. C'était miracle qu'elle eût résisté si longtemps aux attaques de la faim et du froid.

— Patientez seulement, dit-il, tout à l'heure ça ira mieux!

Agenouillé devant elle, il tendit la main hors de l'avion, ramassa un paquet de neige et se mit à frictionner les jambes et les bras de la femme. Elle tressaillit, parcourue des pieds à la face par un long frisson.

— Nous y sommes! cria Isaïe.

Puis, il l'enveloppa de nouveau dans les manteaux, les tricots, les pelisses, et, passant sa main sous les couvertures superposées, continua à frotter les membres malades, avec vigueur.

— Qu'est-ce que tu fous là?*

Il se retourna d'un seul bloc. Marcellin se tenait dans l'encadrement de la brèche.

— J'essaye de la ranimer, dit Isaïe.

— C'est une femme!...

— Tu vois.

— Ce serait elle que j'aurais entendue?

— Probable.

— Il n'y a pas d'autres survivants?

— Non.

Marcellin tendit le cou pour mieux voir la femme allongée par terre.

— Tu perds ton temps, grommela-t-il.

— Pas dit. Si le docteur lui fait une piqûre...

— Quel docteur?

— N'importe lequel. En ville.

— Tu veux la descendre en ville? s'écria Marcellin.

— Bien sûr.

— Tu ne vas pas faire ça?

— Pourquoi?

— Si on nous voit arriver avec elle, on comprendra tout!

— Qu'est-ce qu'on comprendra?

— Que nous sommes montés jusqu'à l'avion!

— Et alors?

— Et alors? Tête de veau!* A qui ferons-nous croire que nous sommes venus ici pour nous dégourdir les jambes? On nous soupçonnera d'avoir nettoyé l'épave. La police se mettra derrière nous. On nous interrogera. On nous fouillera. On nous arrêtera. C'est ça que tu cherches?

Isaïe se redressa et considéra son frère avec tristesse:

— Tu m'as dit toi-même que nous avions le droit de prendre ce que nous voulions sur les morts, que nous ne faisions de tort à personne...

— Tu as saisi de travers! Comme toujours. Je te

répète que ces affaires-là doivent se traiter sans témoins. Si nous la descendons en ville, autant vaut renoncer à tout!

— Eh bien! renonçons à tout, dit Isaïe, ce sera plus simple.

Marcellin serra les poings. Sa figure était disloquée par la rage.

— Laisse-la, dit-il d'une voix brève.

— Je ne peux pas la laisser, murmura Isaïe. Si je la laisse, elle va mourir.

— Et puis après?* Ce n'est pas pour jouer les sauveteurs que je t'ai emmené avec moi. Tu as juré de m'aider en tout. Et, maintenant, tu discutes, tu me retardes!...

— Tu as donc fini, déjà?

— J'aurais pu ramasser davantage. Mais nous n'avons pas le temps. Tu le sais bien. Il faut partir...

Isaïe regarda la jeune femme. Elle paraissait assoupie. Elle ne souffrait pas. Elle ne pensait pas. Il dépendait de lui seul qu'elle survécût ou s'abandonnât aux attraits de la mort. Il sourit. Il dit:

— C'est sûrement une Hindoue.* Une vraie Hindoue...

— Vas-tu venir, oui ou non? cria Marcellin.

Isaïe chargea son sac sur ses épaules, et enfila ses gants et ses moufles.

— Pour le retour, dit-il, nous changerons de route. Nous passerons par le glacier.

— Pourquoi? C'est beaucoup plus long!

— Nous aurions trop de mal à la descendre par la paroi rocheuse. Je ferai un traîneau avec des bouts de fer. Je l'attacherai dessus...

Une secousse lui coupa la parole. Marcellin l'avait saisi par le bras.

— Lâche-moi, dit Isaïe avec lenteur.

Mais Marcellin ne desserrait pas son étreinte. Une sorte de ronflement s'échappait de ses lèvres retroussées. Ses yeux se gonflaient de haine et de bêtise. Il avait l'air d'un chien qui défend son os.

— Ça suffit comme ça! gronda-t-il. Passe devant.

— Et elle?

— Ne t'occupe pas d'elle.

— Si tu l'abandonnes, c'est comme si tu la tues. Tu ne peux pas vouloir ça, Marcellin?

— Si, je le veux! cria Marcellin. Je ne la connais pas! Ça m'est égal qu'elle crève! Je l'étranglerai de mes mains, s'il le faut, pour te décider à me suivre!

— Ne parle pas ainsi, Marcellin, soupira Isaïe.

Il lui sembla, tout à coup, que son corps entier se soulevait, comme par l'effet d'une tempête intérieure. La main qui lui serrait le bras se détacha, bondit de côté. Il entendit Marcellin qui disait d'une voix changée:

— Tu ne me fais pas peur, Zaïe! C'est moi qui commande.

— Pas pour ça, dit Isaïe.

— Pour ça, comme pour le reste! Je ne me laisserai pas mener par l'innocent du village. Tu ne me feras pas tout rater, à cause de cette singesse!...

Au lieu d'écouter son frère, Isaïe l'observait avec une attention douloureuse. Subitement, il prit conscience du fait que Marcellin était un inconnu pour lui. Ils ne savaient rien l'un de l'autre. Ils n'avaient jamais vécu ensemble. C'était la première fois qu'ils se rencontraient.

— Pourquoi dis-tu que tu es mon frère? demanda Isaïe.

Il se rappelait Marcellin, criant sa joie devant les débris de l'avion, courant vers les cadavres, les retournant, les détroussant avec des mains qui tremblaient de peur et de hâte.

— Mon frère n'aurait pas fait ça, reprit-il. Il n'aurait

pas volé l'argent des morts. Il n'aurait pas refusé de secourir quelqu'un dans la montagne. Toi, je ne te connais pas. Tu t'appelles peut être Marcellin, mais je ne te connais pas. Ote-toi de mon chemin.

— Salaud !* hurla Marcellin. Une dernière fois, vas-tu venir?

— Pas avec toi, dit Isaïe. Pas comme tu le veux...

— Ah ! non?

Un coup de poing atteignit Isaïe à la lèvre. Il sentit un goût de sang sur sa langue. Son regard se voila.

— Tu m'as frappé, dit-il doucement. Parce que tu sais que j'ai raison. Un voleur et un assassin. Voilà ce que tu es. Ton âme est méchante. Tu ne mérites pas d'exister...

Le bras de Marcellin se détendit pour la seconde fois, mais Isaïe l'attrapa au vol et le tordit avec force. En même temps, de sa main libre, il cognait cette figure grimaçante, qui s'abaissait devant lui par saccades. Son poing allait et venait sans répit, comme balancé au bout d'un fléau. Il sentait, à travers le gant, la résistance des chairs comprimées. Il entendait le claquement sec des dents, qui se heurtaient à chaque coup. Mais il ne pouvait plus s'arrêter. Ce n'était pas la colère qui le poussait. Son esprit était calme. Comme s'il se fût agi, pour lui, d'accomplir un travail pénible et nécessaire, qui ne souffrait pas de retard. Ecroulé à ses pieds, Marcellin se débattait faiblement, râlait :

— Tu es fou !... Zaïe ! Zaïe !... Arrête !...

Une confiture épaisse coulait de ses narines. Sa bouche n'était plus qu'une blessure pleine de bulles roses. Ses yeux se révulsaient. Cependant, Isaïe frappait toujours, avec patience, avec précision, en répétant :

— Tu n'es pas Marcellin !... Tu n'es pas Marcellin !...

Enfin, Marcellin cessa de se plaindre. La face saignante, il avait perdu connaissance. Un gargouillement passait entre ses lèvres abîmées. Isaïe sourit, reprit sa respiration et frotta l'une contre l'autre ses mains endolories.

— Voilà, dit-il. Tu es tranquille?

Puis, il enjamba le corps de son frère et se pencha audessus de la femme.

— Venez, Madame, murmura-t-il d'une voix assourdie. Nous allons partir.

Il la souleva dans ses bras. Elle était si légère, qu'il se mit à rire:

— C'est tout? Ça ne pèse pas plus?

Il sortit de l'avion. Un coup de vent le cingla, de plein fouet. Etourdi, ébloui, il marchait dans la neige, à la recherche d'un débris qui pût servir de traîneau. Une portière arrachée gisait à trente mètres de l'appareil.

— Ça pourra faire!

Avec une délicatesse extrême, Isaïe allongea l'inconnue sur la plaque de tôle, glissa une couverture roulée sous sa nuque, et l'enveloppa dans les manteaux de fourrure qu'il avait apportés, en même temps, de l'avion. Il achevait de la ficeler solidement à son support, quand la voix de Marcellin retentit dans son dos:

— Zaïe! Zaïe! Attends!...

Isaïe ne répondit pas à cet appel. Il ne laissait personne derrière lui. Sa conscience était en repos. Une déchirure, dans le haut bout de la tôle, lui permit de nouer la corde, qu'il prit en main, comme une laisse, pour retenir le traîneau dans la descente. Ensuite, ayant retrouvé et chaussé ses raquettes, il poussa la nacelle sur la première pente neigeuse. Il avançait à petits pas, attentif à choisir une route régulière. La femme glissait devant lui, couchée sur le dos, dans un poudroiement d'écume argentée. Elle était si menue, que son passage entamait à peine la blancheur pure du sol. Isaïe contemplait à l'envers ce visage de rêve. La pastille d'or, incrustée dans la narine, le fascinait, telle une étoile. Il la voyait, puis il ne la voyait plus, puis il la voyait encore. Et son cœur se chargeait de joie. A un moment, il lui sembla entendre, au loin, une vague rumeur de course et de cris stupides. Il tourna la tête. Très en arrière, quelqu'un le suivait à la trace :

— Attends-moi, Zaïe !... Je viens avec toi !... Tu ne vas pas me laisser ?... Seul, je ne trouverai pas le chemin !... Zaïe !... Zaïe !... Zaïe !...

A peine remis de son étourdissement, Marcellin gesticulait et vacillait comme un ivrogne. Sa voix se faisait de plus en plus faible, de plus en plus suppliante.

— Zaïe !... Je ne t'en veux pas !... Aide-moi !... Je ne dirai plus rien !... Je ferai comme tu voudras !... Aide-moi !... Aide-moi, Zaïe !...

Sourd à ces cris, que le vent lui apportait par bouffées, Isaïe continuait à marcher d'un pas égal. A chaque cahot, il disait :

— Excusez-moi, Madame... Ce n'est pas ma faute... Vous n'avez pas trop froid, Madame ?... Vous n'êtes pas plus mal ?...

— Zaïe ! Zaïe !...

L'écho répétait à l'infini cette lamentation monotone. L'attache du traîneau se tendait, se relâchait, selon le relief du terrain. Isaïe serrait la corde dans sa main blessée. Un sourire crispait ses lèvres. Son regard ne quittait pas la figure de cette femme, venue des Indes, qui descendait au fil de la neige* et le tirait lui-même en avant.

VIII

Passé le col, un bouillonnement de nuées louches masquait la direction du versant. Le glacier commençait à l'extrémité inférieure de ce large couloir, où le vent s'engouffrait en sifflant sur le mode grave.* Des vagues de poudre blanche se tordaient au ras du sol, comme les fumées d'un volcan. Craignant que la neige ne fût pas sûre, Isaïe dénoua les cordes qui attachaient l'inconnue au traîneau, la frictionna encore, l'enroula dans une ample pelisse, et la chargea sur ses épaules, les jambes passées dans les courroies de son sac et les bras liés par une écharpe autour de son cou. Evanouie, les yeux scellés, la tête ballante, elle ne pesait guère à son dos. Il allait se remettre en marche, quand Marcellin le rattrapa :

— Zaïe !... Ne pars pas sans moi !...

— Va-t'en ! cria Isaïe.

— Je t'aiderai à la porter !

Isaïe brandit son piolet, telle une arme :

— Ne la touche pas !

L'ombre s'écarta d'une fuite oblique, comme chassée par un courant d'air.

— Va-t'en ! cria encore Isaïe.

Puis, le cou raide, les reins fléchis, il s'engagea dans la descente. Ses raquettes étaient lourdes à ses pieds. Une tempête de cristaux pointus venait à sa rencontre. Mille aiguilles perforaient la peau de ses joues. Ses yeux s'emplissaient d'un vertige couleur de lait. Le blizzard miaulait dans ses oreilles. A chaque pas, il sondait la neige, devant lui, avec son piolet. En dépit de cette précaution, il arrivait, de temps en temps, que la croûte glacée craquât net sous le poids de son corps et qu'il enfonçât, jusqu'aux genoux, dans des trous découpés à l'emporte-pièce. Au départ du col, il avait choisi, comme point de repère, un gendarme* rocheux, dont la silhouette se distinguait mal derrière des effusions de grésil. Cette borne était le seul élément solide dans un univers qui fuyait et se décomposait en poussière d'albâtre. Isaïe allait vers la pierre dressée comme vers un ami, placé là, depuis des siècles, pour le recevoir. A plusieurs reprises, trompé par un effet de mirage, il crut que le but était à portée de sa main. Il était sûr de l'atteindre. Il tendait le bras. Et la masse noire disparaissait, glissait, pour s'arrêter, vingt mètres plus bas, dans un tourbillon de sel fin. Il grognait:

— La montagne joue avec nous, Madame. C'est coutume. Il ne faut pas se fâcher.

Enfin, une tour de granit, damasquinée de neige et de glace, grandit, s'immobilisa et accepta de se laisser toucher. Isaïe appuya son épaule contre le bloc rugueux pour reprendre son souffle. Une couronne de plomb pesait sur ses tempes. Ses muscles tremblaient de fatigue. Des bourrelets de glace s'étaient formés entre son cache-col et son cou. Sa figure était enduite d'une substance vitreuse, qui se fendillait quand il ouvrait la bouche ou remuait les sourcils.

— Zaïe!... Zaï-ï-e!

La montagne disait son nom.

— Vous voyez, Madame, murmura-t-il. Je suis chez moi, ici. Il ne faut pas avoir peur. Nous avons encore bien deux heures de jour devant nous. C'est suffisant pour passer le plus dur.

Il lui parlait comme à une cliente:

— En route !

Un glacis uniforme, sans traces, sans relief, coulait à ses pieds, pour se dissoudre, un peu plus loin, dans une vapeur de froid terne, dansante, hurlante. Isaïe situa sa position au jugé et réfléchit à l'itinéraire. Son instinct de guide jouait avec la même sûreté qu'autrefois : « Tirer plein sud, obliquer à l'est, puis plein sud de nouveau. » Rassemblant ses forces, il se jeta en avant. La neige tourbillonnait et l'isolait comme dans une cellule. Il transportait sa prison de brumes avec lui. Derrière ces écrans nébuleux, le décor se créait en hâte, à son intention. Des ouvriers, marchant à reculons, déroulaient un tapis blanc sous ses pas. S'il les gagnait de vitesse, il tomberait dans le vide. C'était amusant. La tête de la femme pendait sur son épaule. Par moments, une plainte humaine passait le long de sa joue. Et le vent répondait, à sa façon. Isaïe buta contre un monticule de neige compacte et s'écroula sur les deux genoux. Prosterné dans le désert, il avait l'air de prier quelqu'un. Son courage l'abandonnait. Le paysage chavirait devant ses yeux englués de larmes épaisses. « Perdre de l'altitude. Tenir jusqu'au glacier. Après, c'est *à vaches!...** » Il dut faire appel à toute sa volonté pour se mettre debout.

— Ce n'est rien, Madame... Un petit arrêt... On repart... Une, deux...

Il plaça un pied devant l'autre. Une mitraille de grains durs lui griffa le visage. Bouche ouverte. On lui appliquait une pièce de monnaie froide contre le palais. « Ne pas avaler. Cracher. » Il essaya de cracher. Un peu de sang coula sur sa langue. « Si seulement je savais son prénom, je crois que tout irait mieux. Aux Indes, ils doivent avoir des prénoms différents des nôtres. Marcellin pourrait peut-être me renseigner. » Il cria :

— Marcellin !

Puis, il se rappela que Marcellin n'était pas avec lui. « Il a préféré rester à la maison. Mais non, il est mort. Depuis des années, déjà ! » Il rit. Il marchait comme un automate. Ses membres inférieurs ne lui appartenaient pas. Il était branché sur les jambes d'un autre. Cela dura très longtemps. Des heures peut-être. Ou quelques minutes. A intervalles réguliers, une voix perdue répétait :

— Zaïe ! Zaï-ïe !... Attends-moi !... Pas si vite !...

Mais Isaïe savait bien qu'il était seul, dans la montagne, avec l'Hindoue. Pour se distraire, il songea aux images du dictionnaire, qu'il avait vues, la veille, à la maison. Temples, palais, statues accroupies, éléphants sacrés, serpents dansant aux sons de la flûte... D'énormes croupes soulevaient, à droite, à gauche, la surface monotone de la pente. Un troupeau de pachydermes blancs paissait dans le brouillard. Le vent chantait. Une cendre phosphorescente palpitait dans l'air. A cent lieues de là, s'évaporait l'architecture d'un bâtiment aux colonnes de neige, au toit de glace cannelée.

— Comment est-ce aux Indes, Madame ? Il faudra me dire ! Plus tard, bien sûr ! Nous avons le temps !... Les palais... les éléphants... les serpents... le soleil...

Il remonta sa charge d'un coup de reins.

— Encore un petit effort, Madame.

Comme il prononçait ces mots, une rafale, plus violente que les autres, le secoua. Il planta le piolet dans la neige pour assurer son équilibre. Les jambes roides, le menton soudé à la poitrine, il résistait à la fureur d'une cataracte. L'univers entier se déversait sur lui, poussé par le souffle de l'ouragan. Assailli, submergé, hors d'haleine, il crut qu'il allait être arraché du sol et emporté par le courant vers des abîmes insondables.

Tout à coup, un silence astral succéda à la clameur folle des éléments. Comme s'il eût perdu un point d'appui, Isaïe flotta dans le vide. Quand il rouvrit les yeux, il était couché dans la neige. Une paresse bienfaisante engourdissait son corps. Il ne voulait plus bouger. Il était heureux. Il laissait entrer dans sa chair la douce marée de la blancheur et du froid. Le vent se remit à geindre. Un pan de brouillard glissa sur la gauche, comme un navire aux voiles de gaze. Un autre le suivit. Isaïe se haussa sur ses coudes et reprit le piolet en main. La pique avait laissé dans la neige une petite cavité bleue, de forme ovale. Du bout des doigts, Isaïe gratta la croûte : de la glace vive ! Et, plus loin, à la lisière du monde visible, cette fissure couleur d'émeraude, n'était-ce pas le départ d'une crevasse ?

— Le glacier ! cria Isaïe.

Farouchement, il se dressa sur ses jambes. Un poids tendre oscillait dans son dos.

— Madame ! Madame ! Nous sommes sauvés !

Une ombre venait à lui :

— C'est toi qui as le marc, Zaïe !... Donne-moi du marc !... Je n'en peux plus !... Je crève !...

— N'approche pas ! hurla Isaïe.

— Une goutte de marc !...

L'homme se dandinait, comme s'il eût cherché son équilibre, debout sur la planche d'une balançoire. Blanc de la tête aux pieds. La face hérissée de glaçons. L'œil vitreux. Un trou sanguinolent à la place de la bouche :

— Aie pitié, Zaïe !...

— Je ne te connais pas.

— Je suis Marcellin.

— Non !

— Donne ! Donne !...

— Il n'y a rien à boire. Tout est bu. Elle a tout bu.

L'homme s'effondra dans la neige. Un tas de guenilles. Il pleurait. Il tendait les mains.

— Allons-nous-en, Madame, dit Isaïe.

Il se mit à marcher vers la crevasse. La pique de son piolet tâtait le terrain, en apparence uni, mais sous lequel le glacier poussait de nombreuses fissures recouvertes d'une nappe molle. La neige bottait sous ses raquettes. La bourrasque criblait son regard. Il avançait à l'estime, dans un déluge de blancheur. « Où suis-je? Pas de repère. Tout est nivelé. Sur un pont de neige, peut-être? Pourvu qu'il résiste! Le manche du piolet enfonce trop facilement. Ah! ça durcit. Ça tient. On peut passer. On passe... Tirer vers le sud... » Autour de lui, tout était faux: les vagues de neige, les crevasses aux lèvres rapprochées, les séracs entourés d'un halo diffus. Des labyrinthes s'ouvraient dans un chaos de marbres fracassés.

Isaïe s'arrêta et jeta un regard en arrière, pour mesurer le chemin parcouru. Un point noir luttait, là-bas, dans le brouillard, comme une mouche aux pattes prises dans un sirop de sucre. Obstinée, grotesque, cette parcelle de vie se rapprochait par à-coups. Bientôt, il lui poussa une tête, des bras et des jambes. Le petit homme longeait la lèvre supérieure d'une crevasse. Il hurlait:

— Zaïe!... C'est par là, n'est-ce pas?... Dis-moi!... Dis-moi bien!... C'est par là?...

Soudain, il y eut dans l'air un léger bruit de soie déchirée, un soupir, un souffle. Une corniche de neige fraîche se détacha mollement, comme le bord d'un gâteau. Le petit homme, perdant pied, lança un cri de bête, changea de forme et bascula dans le gouffre. Cela s'était passé si vite qu'Isaïe douta, un moment, du témoignage de ses yeux. Encore une fois, il lui sembla entendre la plainte familière:

— Zaïe! Zaï-ïe!... Au secours!...

Mais non, c'était le vent qui parlait ainsi et les blocs de glace qui jouaient à se renvoyer sa voix, tantôt coléreuse et tantôt implorante. L'immobilité et la solitude du lieu étaient parfaites. Rien n'avait modifié l'équilibre des masses. Il n'y avait pas de manque.* Isaïe poursuivit son chemin.

IX

Au delà du glacier, la route était facile. Une piste gelée se détachait de la moraine et serpentait entre des éboulis de rocs habillés de grosse neige débonnaire. Un dortoir, aux draps soulevés de rondeurs, s'étalait, à perte de vue, dans le crépuscule. L'obscurité, rapidement accrue, faussait les perspectives, gobait les obstacles, lapait les dernières étincelles de blancheur. Le vent s'était apaisé. La nuit était proche. Isaïe marchait, soutenu par l'enchantement de la fatigue. Il avait pris la femme dans ses bras pour la réchauffer. Serrée contre sa poitrine, elle était sage, muette, impondérable. En baissant la tête, il pouvait voir, dans un nid de fourrure ébouriffée, le visage clos qui dormait, tourné de trois quarts. Elle avait confiance en lui. Elle s'abandonnait à lui. Comme un agneau trop faible pour courir dans la montagne. Il croyait avoir rentré toutes ses brebis à l'écurie. Mais l'une d'elles s'était égarée, là-haut. Il était monté la chercher. Il la ramenait au bercail. C'était tout simple.

— Bientôt, nous arriverons... A la maison, il fera chaud... J'allumerai le feu... Je fermerai la porte... Mounette nous attend...

Sa démarche était lourde. Chaque pas résonnait comme un coup de marteau à ses oreilles. Il ne sentait même plus le froid. Les pieds et les mains coupés, le visage écorché jusqu'à l'os, il allait droit devant lui, attentif à ne pas tomber avec son fardeau. « Un agneau de si bonne toison ! Mais non, ce n'est pas un agneau. C'est une Hindoue. Une Hindoue légère comme un agneau.»

— Je vous avais prise pour un agneau, dit-il encore.

Il avait du mal à parler. Sa langue était plâtreuse.*

— Je vous avais prise pour un agneau, mais ce n'est rien. Je vous montrerai le pays. Vous vous plairez parmi nous. Bien sûr, il n'y a pas d'éléphants, comme aux Indes... Mais il y a... il y a les marmottes... les choucas... les coqs de bruyère... Un jour, Marcellin a tué un coq de bruyère... Vous ne connaissez pas Marcellin ?... C'était un bon frère pour moi... Un ami... Je l'ai mis au monde avec mes mains... Je l'ai élevé... Puis, il est mort... Et maintenant, je vis seul... Au hameau des Vieux-Garçons... Et vous, vous habitiez Calcutta ? Calcutta ! Calcutta !... Un palais... des éléphants... des charmeurs de serpents...

Il trébucha et s'arrêta, des larmes plein les yeux. Tout à coup, il ne pouvait plus avancer. Il n'y avait pas assez de vie dans ses jambes. La terre et le ciel confondaient leurs fantômes. L'ombre tombait d'en haut, rampait d'en bas. Oublier. Dormir. Il regarda encore cette purée de ténèbres grises, que le vent brassait en silence. Et soudain, à des distances incalculables, il lui sembla discerner une lueur. La vallée. Les premières maisons. Lointaines encore. Mais sûrement désignées. Ses mains pressaient le corps de la femme pour lui communiquer un regain d'espoir. Il inclina la figure jusqu'à toucher de son souffle cette petite personne précieuse, pelotonnée dans la chaleur et la force de ses bras. L'oreille de l'inconnue était posée comme un coquillage entre deux mèches de cheveux noirs, poudrés de grésil.

— Madame, dit-il, nous sommes tout près maintenant.

Il crut qu'elle lui souriait. Les lèvres tirées. Les paupières à demi closes. Elle ne respirait plus. Mais elle lui souriait. Un flot d'allégresse l'envahit. Toutes les veines de son corps chantaient. Son âme était en fête. Il se remit en marche, les épaules droites, la tête levée, portant contre sa poitrine ce poids de chair inerte dont il ne savait pas le nom.

***

Le terrain s'enfonçait, par paliers inégaux, vers le pays des hommes. Isaïe descendait, montait, cheminait à plat, descendait encore, contournait un mamelon, soufflé telle une bulle de lait, coupait un champ couleur de lune, se glissait entre des cailloux passés à la chaux. Les clartés du village avaient disparu. Le ciel était d'encre. Le vent grattait la figure comme le fil d'un rasoir. Les genoux pliaient rudement à chaque pas. Isaïe ne marchait plus, il tombait d'un pied sur l'autre. Glace et pierre. Rien ne vivait encore dans ce domaine minéral. Puis, quelques buissons naquirent, isolés, rabougris, pareils à des éponges pétrifiées. Une cascade chanta dans le noir. La neige mollit. Un bouquet de mélèzes chenus osa surgir de l'ombre. Parfois, une branche, libérée de son fardeau blanc, se redressait comme un ressort et se balançait longuement pour se dégourdir. Isaïe ôta ses raquettes. Après la forêt, le village reparut, logé dans un creux, avec son semis de lumières immobiles. Au lieu de rejoindre la route, Isaïe choisit un sentier qui piquait directement sur l'église et continuait vers le hameau des Vieux-Garçons. La lune était sortie des nuages. Un pain de sucre coiffait le clocher jusqu'aux sourcils. Guidé par ce chapeau de neige, Isaïe, exténué, les jambes rompues, dévalait la pente en trébuchant à chaque ressaut. La tête de la femme roulait dans le pli de son coude. Il haletait:

— Voilà ! Voilà ! On arrive !... Ça, c'est l'église... Un peu plus loin, le cimetière... Tous mes parents sont enterrés là... Et Marcellin aussi... Et j'y ai ma place...

Au bas de la descente, il s'arrêta pour reprendre sa respiration. Les maisons du village dormaient, serrées côte à côte, avec leurs toits de duvet blanc et leurs fenêtres jaunes et lumineuses, comme des carrés de papier huilé. Les fumées montaient obliquement dans le ciel. Une cloche tinta. Le chien de Marie Lavalloud aboya très fort, d'une voix furieuse, enrouée. Isaïe sursauta, comme pris en faute, tourna lc dos à toutes ces demeures sages, et se dirigea, en clopinant, vers le hameau des Vieux-Garçons.

— J'habite par ici... Vous allez voir...

Les masures en ruines, noires, vides, bombaient l'échine, sous de lourdes chapes de neige. Le vent s'engouffrait par leurs brèches difformes. Leur ombre barrait le chemin. Isaïe serra l'Hindoue plus étroitement dans ses bras, comme pour la défendre contre un ravisseur invisible. Revenu en ce lieu habituel, il éprouvait un sentiment d'angoisse et de gêne, dont il ne savait pas définir la cause. Autour de lui, soudain, il y eut tous les hommes de la terre. Il n'était plus seul avec l'inconnue. Il devait craindre la convoitise d'autrui.

— Rentrons vite, dit-il. Il ne faut pas qu'on nous voie...

La porte de la maison était bloquée par un bourrelet de neige. Il brisa cette croûte, à coups de pied, et poussa le battant. Une nuit sombre, qui sentait la fumée et le lait caillé, courut jusqu'à son visage. Il pénétra dans la grande salle obscure. Le tic-tac du réveille-matin frappa son oreille. Il dit :

— Ceci est ma maison, Madame.

X

Il la coucha sur le lit et la débarrassa des manteaux de fourrure. Puis, il alluma la lampe à pétrole. La flamme monta dans le manchon de verre. Allongée sur le dos, dans sa tunique blanche, déchirée, maculée, la femme paraissait heureuse de prendre du repos. Son voile violet collait à ses épaules. Ses bracelets d'argent étincelaient de mille petits feux pointus. Une ceinture dorée entourait sa taille. Isaïe contemplait l'Hindoue avec un émerveillement peureux.

— Si j'avais su, dit-il, j'aurais mieux arrangé la chambre...

Recru de fatigue, il était tout étonné encore de se trouver, sain et sauf, entre quatre murs. Un muscle claquait dans son ventre. Ses bras, privés de leur fardeau, devenaient mous et bêtes. Le givre fondait et coulait sur son visage, mêlé à des larmes de joie. Il arracha sa cagoule, ses moufles, ses gants, cassants et craquants comme du carton. De ses vêtements se dégageait une buée épaisse. Au-dessus du lit, l'image du Sacré-Cœur de Jésus brillait, rouge, dans son cadre. Isaïe fit le signe de la croix et soupira :

— Merci, mon Dieu, de m'avoir aidé jusqu'au bout.

La femme ne bougeait pas, ne gémissait pas. Son visage renversé avait la pâleur et la pureté de la cire. Les ombres de la nuit étaient restées prises dans ses cheveux. La petite pastille d'or était à sa place, posée comme une mouche sur l'aile mince du nez. On ne voyait pas la blessure par où l'âme s'était envolée.

Isaïe savait que l'Hindoue était morte. Mais cela n'avait aucune importance. Pour lui, elle n'était pas une créature comme les autres. A mi-chemin entre le rêve et la réalité, elle n'avait pas besoin de respirer, de parler, de vivre pour être chez elle dans la maison. Tout était bien ainsi. Il était content. Il murmura :

— Maintenant, je vais faire le feu, préparer le repas. Une bonne soupe. Et du fromage. Vous allez goûter mon fromage. Il sent la montagnc...

Des bêlements et des coups de sabots retentissaient derrière la cloison.

— Excusez-moi, dit-il encore, il faut que je m'occupe des bêtes. Je n'ai pas tiré le lait de la journée. Elles souffrent, les pauvres, avec des mamelles grosses comme ça !...

Il passa dans l'écurie. Les brebis l'attendaient. Il les flatta de la main, changea l'eau et renouvela la provision de foin dans les râteliers. Ensuite, il s'accroupit pour traire les chèvres. Il disait :

— Vous savez, il y a du nouveau à la maison... Nous avons une visite... Une dame qui vient des Indes...

Les brebis l'écoutaient attentivement, massées près de lui et mordillant l'herbe sèche. Il sentait sur son visage le regard de leurs prunelles vagues. Il respirait leur chaleur, leur parfum, qui le guérissaient de sa grande lassitude.

— Elle a des cheveux noirs, des bracelets d'argent... Une marque d'or sur la narine... Elle est belle... Dans son pays, on voit des éléphants, des serpents qui dansent...

Mounette vint frotter contre l'épaule d'Isaïe son museau effilé, au poil ras.

— Je lui ai parlé de toi, Mounette... Et de toutes les autres...

Un bêlement tendre lui répondit. Les bêtes le comprenaient. Il se mit à rire:

— Qui aurait cru, hein?... Patientez un peu... Je vais voir ce qu'elle fait... Je n'aime pas la laisser seule...

Il rentra dans la chambre, attira une chaise et s'assit devant l'Hindoue. La tête dans les mains, les coudes aux genoux, il l'observait, comme s'il eût attendu qu'elle s'éveillât. Il retenait son souffle. Ses yeux fatigués se tendaient de brume.* Un boulet pesait dans son crâne. Par moments, il eût juré qu'une ondulation légère parcourait le corps de l'inconnue. Les vêtements se gonflaient. Le visage s'animait. Isaïe frottait ses paupières avec son poignet, regardait encore et convenait de son erreur, en souriant:

Reposez-vous seulement... Nous avons bien le temps, Madame...

La bise sifflait derrière le vantail. Des poutres craquaient. La nuit de neige s'appuyait contre la fenêtre aux carreaux constellés de givre. Un peu plus tard, la porte de l'écurie étant restée ouverte, les brebis pénétrèrent, l'une après l'autre, dans la maison. Elles marchaient à petits pas, humant les meubles, léchant le salpêtre des murs, s'appelant et se rassurant d'une voix tremblante. La lumière les guidait. Et l'odeur du maître. Elles s'assemblèrent autour du lit. Un grouillement laineux emplit la chambre. L'Hindoue semblait flotter sur un nuage de toisons pâles et touffues. Isaïe caressait le dos des bêtes et disait:

— Ne faites pas de bruit... Vous voyez, elle dort...

Notes

Words and phrases given in exact translation in *Harrap's Shorter French and English Dictionary* are not normally listed here. Attention has been drawn to colloquial departures from standard usage, but not to such prevalent features of popular speech as the omission of ***ne*** in a negative sentence (*je peux plus*; *t'en fais pas*); the elision of ***tu*** to ***t'*** before a vowel (*t'es pas malade?*); the omission of the pronoun subject of an impersonal verb (*faut pas avoir peur!*).

The numbers refer to the pages.

17 **l'exposition des terrains:** 'the aspect of the hillsides,' *i.e.*, the direction in which the various parts of the mountain were facing.

les fourrés de givre: *fourré*=1. 'thicket'; 2. 'cluster' (*e.g.*, of lilac). Here we should perhaps interpret the phrase as *les fourrés couverts de givre.*

flanquement: an unusual figurative use of the word, which is normally a technical term of fortification: the 'flanking' of a fortress, etc.

18 **enfournées:** another unusual usage. The verb is formed from the noun *le four*, 'oven,' and here means perhaps 'kept warm in.'

pantalons de Bonneval: these are made of rough, hard-wearing material which is employed a great deal in Alpine districts.

Rien à dire: ellipsis for *il n'y avait rien à dire.*

19 **bêta:** 'silly.' Here clearly an affectionate, not a pejorative term.

20 **busqué:** cf. *nez busqué*, 'Roman nose.'

à sa convenance: 'to his liking.'

toujours à fuir: à+infinitive here may be said to fulfil an adjectival function (=*apte à . . . , prêt à . . . , prompt à . . .*).

21 **Nous, c'est tous les deux:** ellipsis for: *quand il s'agit de nous, c'est...*

expliqué: not normally used without object; sc. *il m'aurait expliqué ce qu'il allait faire.*

crâne: the use of this word (=Eng. 'cranium') instead of *tête* or *cerveau* suggests a slightly pejorative tone.

22 **il était devenu on ne savait trop quoi:** 'it was difficult to say quite what he had become.'

passeurs de frontière: 'smugglers.' A euphemism, perhaps chosen here because the smuggler would be unlikely to incur from the local population the odium suggested by the official term *contrebandier.*

porteur: would-be guides must normally serve a sort of apprenticeship as 'porter' to an established guide, learning the technique and acquiring experience.

24 **murets:** 'dry walls.' An unusual diminutive of *mur*; cf. the more normal *murette*.

lauzes: slabs of mica-schist (slaty rock consisting of alternate layers of mica and quartz) used particularly for roofing. The word is only found in the south, and is also spelt *lauses*.

refuges: climbers' shelters, provided by the Club Alpin Français and by various local bodies.

25 **Le compte y est?:** 'are they all there?'

27 **Misère!:** not commonly used as an interjection.

Moi, les avions, je me suis toujours méfié!: colloquial for *je m'en suis toujours méfié*.

28 **foyers:** the word is used here in its secondary meaning of 'home,' though the verb *s'éteindre* gives an imaginative reminder of the primary meaning of 'hearth.'

pentu=*en pente*; used locally in a number of French provinces.

coiffant: 'well-fitting' (more commonly used of a hat).

ancelle: 'shingle.' A local word, found in the Alps.

bourne: another local word. '*Partie apparente de la cheminée, de forme trapue, et recouverte d'ancelles*' (Author's note).

29 **couperets:** 'blade, knife' (usually of guillotine, etc.). Cf. the more normal figurative use of *lame* in this sort of context.

30 **ouvert à même le toit:** 'opening flush with the roof'—in other words, having no flue leading upward from the fireplace.

'éparvis': local word; '*ustensile de ménage aux branches écartées, servant à étendre le linge, à faire sécher des torchons*' (Author's note).

lampe à pétrole: the domestic oil-lamp (also *lampe à huile*).

31 **manchon:** 'chimney' (of an oil-lamp).

de rechange: 'spare, reserve.'

pour peu que...: 'if it should have happened (at all) that....'

par-dessus: 'as well.' Cf. *par-dessus le marché*.

32 **retrouvailles:** 'reunion.' From *se retrouver*: formed by analogy with *fiançailles*<*se fiancer*, *épousailles*<*épouser*; slightly humorous in tone.

culot: large boulder, left by an avalanche (local expression).

à la tourne: F. for the usual *au tournant*.

33 **grouillait:** an unusual use of the word. Translate perhaps by 'was teeming.' Cf. *grouillement*, p. 22 and p. 137.

potée: '*mets composé de salé et de saucisson, bouillis avec accompagnement de choux, carottes, pommes de terre, navets etc.*'

au bec: colloquial for *à la bouche*; we can infer from its use that this part of the paragraph is a soliloquy by Isaïe, and not objective description of the photograph by the narrator.

34 **'premières':** 'first ascents.'

la compagnie: the author probably has in mind here the Compagnie des Guides de Chamonix.

corde de rappel: this is used for *abseiling*, a method of descent with a double length of rope passed through a ring above (thus allowing the rope to be detached when the descent has been accomplished, and not wasted).

coulée de neige: a local expression: '*une masse détachée de neige ou de rocher, glissant lentement sous l'effet de la pesanteur*' (Author's note).

36 **séracs:** ' seracs ' (of glacier), ' ice-pinnacles.'

37 **encoches:** ' notches,' serving as footholds or handholds.

38 **caravane de secours:** ' rescue-party.' *Caravane* is often used to replace *cordée* as the term for a party of climbers roped together.

névé: ' *le névé est situé immédiatement au-dessus de la ligne où commence le glacier; c'est la couche de neige où il prend naissance* ' (Littré).

réformé: ' declared medically unfit.'

39 **qu'il s'est querellé...:** strictly, when *que* is used to avoid the repetition of *si* in a conditional clause, the verb following should be in the subjunctive, but *qu'il se soit querellé* here would be ambiguous.

endévé: F: ' annoyed.' Also: *endêvé*.

strié de charpies blanches: literally, ' streaked with strips of white lint,' an imaginative way of rendering the impression given by the snow lying in the folds of Marcellin's clothes.

41 **venus aux nouvelles:** ' who have come on hearing the news.'

un bout de chemin: ' quite a way.'

ça discute ferme: F: ' there's a lot of talk about it.'

42 **lampe à souder:** ' blow-lamp.'

43 **un bon coup:** ' deeply.'

Ne fais pas cette gueule: F: ' don't look like that.'

dévisser: F: ' to fall down (a mountain).'

Autrefois, passe encore: ' It was once, if you like.'

45 **salé:** ' salt mutton.'

obèse: an unusual epithet to find in this context. Cf. p. 68.

travaillées: ' strained, stretched.'

47 **s'en allaient à la dérive:** ' (as it were) drifted past.'

48 **Pour sûr que...:** ' Of course I shall . . . .'

49 **en face la gare:** F: for *en face de*, *face à*.

rentrées: ' income.'

54 **bille:** ' log.'

59 **la queue en trompette:** ' with his tail turned up.'

cordée: see note on *caravane de secours*, p. 38.

Pour risquer gros, oui, il risque gros: ' As regards taking risks, he's certainly doing that.'

60 **autant se couper les doigts.** F: for *autant vaudrait...*

61 **Je me fous de l'avion:** P: from verb *se foutre de*: ' I couldn't care less about the plane.'

tailles: a mountaineering term: ' *action de tailler des marches dans la glace ou la neige dure.*'

tirées: another mountaineering term: ' *montées pénibles.*'

62 **les lieux du sinistre:** the pl. *les lieux* is more in keeping with the tone of official communiqués than the sing. would have been.

64 **Nom de nom!:** euphemism for: *Nom de Dieu!*

65 **foiré:** F: 'given way.'
Ça doit faire joli: F: 'that will be good news!'
Pour un coup dur...: 'that's a devil of a blow.'

66 **le gamin à l'Antoinette:** 'Antoinette's little boy.' Both the use of the article with the Christian name and the use of *à* to mark possession are features occasionally to be found in popular speech.

67 **c'était couru:** F: 'it was hopeless.'
T'en fais pas: F: 'Don't worry' (*en=de la bile*).

68 **saliver des discours:** Marcellin uses an expressively vulgar image.

69 **Dix mètres plus haut, l'avion passait:** this use of the imperfect is known as the *futur du passé*: 'If it had been thirty feet higher, the plane would have got by.'

71 **Tu te régales! Il y a de quoi!:** F: 'You're very pleased! And you might well be!' Ellipsis for: *Il y a de quoi se régaler.*

72 **un amateur:** a prospective buyer.
Content comme pas un: F: 'As pleased as Punch.'
Saleté!: an imprecation that it is impossible to find an equivalent translation for.

74 **varapper:** (mountaineering term): 'to climb.'

77 **à croire que...colle aux doigts:** F. for *à faire croire que...*

78 **dérocheras:** *dérocher*: 'to fall down (a mountain).'

81 **cordes d'attache et de rappel:** the *corde d'attache* is the rope used to rope together a party of climbers; for *corde de rappel* see note on p. 34.
pitons: 'pitons' in Eng. are short pegs with an eyehole; they are driven into the rock and a rope is then passed through the hole.
crampons: metal frames equipped with sharp nails, which are strapped on the climber's boots to give a better grip on an ice-face.
raquettes: 'snow-shoes,' used in soft snow on a level surface.
marc: normally, the residue of pressed grapes left after wine-making; here, the word is used for *eau-de-vie de marc*, a liqueur distilled from *marc*.

82 **rimaye:** a crevasse separating a glacier or a snowfield from a steep rocky slope. English has adopted the German term *bergschrund*.
sans failles: 'without a break (in the clouds).' The term *faille* is borrowed from geology, where it means a break, or fault, in a rock-system.

85 **Ça me fait drôle:** F: 'I feel odd.'

Avance donc, bougre de soliveau: ' Get along, will you, standing there like a post! '

89 **vire:** a fissure allowing one to make a traverse of a steep rock face.
prises: ' foot-holds,' ' hand-holds.'
palier: ' landing,' hence by extension ' platform (of rock).'
relief: ' relief,' as in *haut-relief, bas-relief.*

90 **cassait, fendait, se renvoyaient:** cf. note on p. 69 for this use of the imperfect in *passait.*

91 **marteau-piolet:** a kind of small ice-axe which combines the function of hammer for driving in the *pitons.*

95 **dièdre:** a mountaineering term: ' *espace compris entre deux pans rocheux, dont l'intersection forme un angle rentrant* ' (Author's note).

96 **allégeance:** used here for *allégement.*

97 **se démoula:** ' extricated himself from.'
replat: a Swiss term: ' *petit plateau dans les montagnes* ' (Littré).

100 **vidé:** P : ' I'm completely whacked.'

101 **Je m'en fous:** P: ' I don't care.'

102 **souffler:** ' to have a breather.'
anneau de rappel: a loop of rope through which the climbing rope can pass.

103 **une première hivernale:** ' a first ascent in winter conditions.'

106 **à cinq mille:** = *à cinq mille mètres.*

115 **faisait les pieds au mur:** ' had put his feet up (for a rest).'

117 **gangue:** ' matrix,' or dross covering a precious stone when it is mined: an image which is perhaps too ' literary ' to be in keeping with the rest of the paragraph up to this point, which seems to record Isaie's impressions.
Qu'est-ce que tu fous là?: P: *foutre* is here used to replace *faire.*

118 **Tête de veau!:** ' Blockhead! '

119 **Et puis après?:** ' Very well then, so what? '
Hindoue: ' Indian ' here, rather than ' Hindu.'

121 **Salaud!:** F: ' swine! '

123 **au fil de la neige:** cf. *au fil de l'eau,* ' with the stream.'

124 **sur le mode grave:** ' in a low key.'

125 **gendarme:** a rocky pinnacle.

126 **c'est à vaches!:** F : Cf. *C'est de la montagne à vaches,* ' easy to climb.'

130 **Il n'y avait pas de manque:** ' There was nothing missing.'

132 **plâtreuse:** F: ' felt like cotton-wool.'

137 **se tendaient de brume:** ' were draped with (a curtain of) mist.'